KB172073

블랙홀, 그리고 은하수

블랙홀, 그리고 은하수

재 영
하정민
박유정
추슬기

들어가며

블랙홀은 어두워서 모든 것을 담을 수 있다. 모든 것을 포용하는 잠재성의 근원이다. 블랙홀은 완전하고 암전이며, 동시에 태초 생명의 시작점이다. 암울한 어둠은 바닥을 쳤을 때 새로운 시작을 잉태한다. 블랙홀의 공간성은 어떨까? 블랙홀이 빨아들이기만 할까? 블랙홀로 빨려 들어가 그 중심에 있는 바닥으로 낙하하는 것도, 블랙홀에 잠기는 것도, 그 홀을 벗어나 은하수로 형태가 변이되어 빛나는 무리가 되는 것 모두 에너지가 있어야 한다. 그것은 무중력의 상태가 아니다. 에너지의 이동 상태를 의미한다. 무중력에도 에너지가 존재한다. 하지만 의식, 인지, 에너지 흐름이 없어서 아주 느리지만 시간을 망각할 정도의 길이를 가지고 있다. 반면에 은하수는 새하얗고 무수한 별들이 반짝거린다. 그 아름다움에 홀려 빠져나오지 못하기도 한다. 우리는 이미 블랙홀과 은하수를 보았을 것이다. 분명 블랙홀처럼 우리를 바닥으로 끌어 내리려는 적도, 은하수처럼 밝은 별들이 주변으로 가득

했던 적도 있을 것이다. 어쩌면 우리는 블랙홀과 은하수 그 사이 경계선에 서 있을지도 모른다.

모든 개인은 하나의 우주 에너지이며 세계이다. 자각이 없으면 존재의 인식 또한 없이 산다. 동시에 이런저런 사회적 제약과 압력을 받는다. 우리는 어떤 무리에 속하면 그 집단 고유의 규약과 제약을 받게 된다. 인력과도 같은 자기장과, 중력 같은 무리, 합창, 권력 그 모든 압력에 매몰되지 않는 방법은 자기 자신의 목소리를 잊지 않는 것이다. 이것은 누구에게나 큰 도전과 용기가 필요로 하는 일이다. 주변이 아무리 어두컴컴해도 그것에 개의치 않고 불빛 나는 곳을 향해 달려간다면 어느새 은하수 사이를 헤엄치고 있을 것이다. 책을 펼친 여러분의 주변도 알록달록 빛이 나는 태양계와 같았으면 좋겠다.

자각을 통해 각자 빛을 내는 존재, 은하수가 되기를 바라며.

- 공동저자 中 추슬기

차 례

들어가며 · 4

재영 창문 밖에 우리는 · 9

하정민 기다림의 농도 · 43

박유정 공존공감_만타시커_몰 다이브의 비밀 · 51

추슬기 블랙홀이 나를 삼켜버렸어 · 83

창문 밖에 우리는

재영

재영

1990년 서울에서 태어났다. 평소 카페에 앉아 창문 밖을 바라보며 상상의 나래를 펼치는 것이 취미이다. 책을 읽을 때도 결말을 마음대로 상상한다. 가장 좋아하는 소설은 제인 오스틴의 『오만과 편견』이다. 운명 같은 사랑이 존재한다고 믿는 낭만주의자이며, 늘 인생의 해피 엔딩을 꿈꾼다.

email: goldjaeyoung@gmail.com

100년 만에 오는 한파라고 했든가. 창문 밖 세상은 새하얗게 변했고, 어젯밤 내린 눈 더미에는 발자국 하나 찍혀있지 않다. 조금의 생명력도 용납하지 않는 것 같은 무시무시한 추위에 뉴스에서는 연일 외출을 삼가라고 한다. 오랜 미국 생활 중에서도 이러한 강추위는 나도 처음 겪는 것이다. 온 집안에는 냉기가 가득하고, 미세한 벽난로 불빛만이 우리 집에서 살아남은 유일한 온기다. 벽난로 앞 다 헤진 소파에 얼마나 누워있었을까. 배에서 '꼬르륵' 소리가 나는 것에 아직 내가 살아있다고 느낀다. 화장실 거울에 비친 앙상한 겨울 나뭇가지처럼 변해버린 내 모습이 웃기기까지 하다.

"그렇게 다이어트를 한다고 풀떼기만 먹을 때는 빠지지도 않더니..."

힘없는 읊조림에 적막했던 집의 균열이 깨진다. 그 틈 사이로 그의 차갑고 날카로운 목소리가 끼어들어 와 내 머릿속을 헤집기 시작한다.

"작품으로 사람들을 돕고 싶다면 너 먼저 치유되어야 해."

그의 냉정한 목소리가 마치 뫼비우스의 띠처럼 머릿속에서 무한 반복되며 빠져나가지 않는다. 머리를 가로로 세차게 흔들어 대자 겨우 목소리가 멈췄다. 어질어질한 머리를 붙잡고 낡고 헤진 소파에 다시 앉아 크게 한숨을 내쉰다. 언제 치웠는지 모르겠는 지저분한 커피테이블 위에 놓인 비행기 티켓이 눈에 들어온다. '이제는 진짜 포기해야할 때다.'

"손님 여러분, 저희 비행기는 잠시 후에 출발하겠습니다."

승무원의 밝고 쾌활한 목소리가 묘하게 거슬린다. 분명 창가 자리로 좌석을 예약했던 것 같은데, 3인 자리 정 가운데로 배정되어 있다. 승무원에게 항의할까도 생각했지만, 그럴 에너지조차 상실한 상태이다. 내 왼쪽에는 중절모를 쓴 노인 그리고 오른쪽에는 레몬색의 깔끔한 투피스를 입은 중년여성이 앉아있다. 모자를 쓴 노신사의 얼굴은 잘 보이진 않았지만, 고개를 까딱까딱하며 부드러운 재질의 손수건으로 안경을 닦는 모습에서 중후한 기품이 느껴진다. 오른편에 앉은 중년여성은 콧노래를 부르며 조그마한 여행 책자 하나를 신나게 훑어보고 있다. 그래 이 비행기 안에 있는 누구든 한국에 가는 일이 굉장히 설레겠지? 나는 마치 전장에서 패배해 죽음을 앞둔 전사인 느낌인데 말이야.

꾸역꾸역 가운데 자리에 끼어 앉았다. 자리도 좁아 몸을 옥죄는 두껍고 무거운 코트를 얼른 벗어버리고 싶었다. 옆 복도로 지나가는 승무원을 급한 손짓으로 불러 세워 옷을 건네는 순간 코트 주머니 속에 있던 작은 종이 한 장이 나풀거리며 바닥에 떨어졌다. 노신사는 허리를 숙여 떨어진 종이를 주어서 나에게 건넸고, 가벼운 목례로 감사 인사를 전했다. 그가 어떤 표정인지는 중절모의 그림자에 가려 잘 보이지 않았다. 반으로 접힌 자그마한 종이를 조심스레 펼쳐 본 순간 놀라 얼어붙었다.

이별의 고통은 다시 만나는 기쁨에 아무런 의미가 없다. - 찰스 디킨스

문구를 보고 깜짝 놀라 종이를 구겨서 바지 주머니에 마구잡이로 쑤셔 넣었다.

누가 이 종이를 코트에 넣어놓았을까. 이 비행기 안에 나를 아는 사람이 있는 건가?

너무 놀라 주변을 이리저리 둘러보았지만, 얼굴을 아는 이는 보이지 않았다. 그리고 머리를 의자에 기대며 눈을 감고 큰 한숨을 내쉰 순간, 비행기는 마치 기다렸다는 듯 큰 굉음을 내며 이륙하기 시작했다.

◆

그림을 그릴 때 쓰는 붓은 의사의 칼과 같다고 여겼다. 수술을 집도하는 마음으로 작품에도 생명을 불어넣어야 한다고 생각했다. 별거 아닐 수 있어도 이 말은 사실 나에게 큰 의미가 있다. 3대째 의사를 배출한 집안이라는 것이 유일한 우리 부모님의 자랑이었다. 오빠는 그 기대에 부응할 만한 지능을 충분히 갖춘 사람이었지만, 불행히도 나는 그렇지 않았다. 그래서 학창 시절은 지옥과도 같았다. 아무리 최선을 다해도 부모님을 만족시키는 일은 쉽지 않았다. 초등학교 때는 시험에서 틀린 개수만큼을 시간으로 계산해 벽을 보고 생각하는 의자에 앉아 있어야 했다. 그때는 한 시간이 야속하리만큼 느리게 흘러갔다. 부모님 몰래 고개를 살짝 돌려 곁눈질로 흘끔흘끔 창문 밖의 풍경을 보고 상상의 나래를 펼치는 것이 유일한 도피처였다. 창문 밖 차도 위에 수없이 지나가는 자동차들을 몽글몽글한 구름 위 유니콘 떼들이 뛰어다니는 것이라 상상하고, 비가 쏟아지는 날에는 알록달록한 깃털이 하늘에서 쏟아져 내리는 것이라 상상했다. 비록 현실에선 차가운 의자 위에 앉아있지만, 문밖의 세계는 언제나 따뜻함과 희망이 가득하길 바랐다. 그렇게 어디를 가든 창문 밖을 빤히 바라보며 상상의 나래를 펼치는 습관이 생겼다. 그리고 시간이 날 때 문제집 귀퉁이나 오답 노트 뒷장에 낙서할 수 있는 공간이 생기면 창문 밖에 있는 환상의 세계를 옮겨 그리기 시작했다. 불행 중 다행으로 외과 의사인 아버지의 손재주를 닮은 건지 머릿속 상상 세계를 그림으로 표현하는 것에 어려움이 없었다. 연필과 붓을 쥐는 순간에는 마치 다른 세계에 와있는 것 같았고, 나는 계속 그림 그리기에만 열중했다. 인생이라는 무대 위 유일하게 스포트라이트가 내려오는 순간은 그림을 그릴 때였다.

본격적으로 화가라는 꿈을 갖게 된 계기는 중학교 1학년 크리스마스부터이다. 엄마는 크리스마스 오전부터 호들갑을 떨며 분주했다. 수학 경시대회에서 금상을 탄 오빠를 위해 축하 케이크를 만들어야 한다며, 고급 프랑스산 밀가루를 구하겠다고 몇 개월 전부터 난리였다. 그렇게 귀한 밀가루로 만들어 낸 케이크 시트는 코끼리 발바닥에 눌린 것 같이 우스꽝스러운 모양이었지만 어머니는 뿌듯한 표정이었다. 나를 발견한 어머니가 이내 날이 선 목소리로 말을 걸었다.

"곧 있으면 오빠 깨어날 텐데, 얼른 좀 와서 거들어라. 공부를 못하면 몸 쓰는 일이라도 잘해야지."

'쯧쯧'하고 혀를 차며 내 쪽으로 눈길조차 주지 않고 차가운 스테인리스 그릇을 넘겼다. 그 안에는 하얗고 뽀얀 생크림이 잔뜩 들어있었다. 무엇을 해야 할지 몰라 물끄러미 생크림을 바라보고 있는 나를 향해 어머니는 소리치듯 말했다.

"생크림 몰래 먹을 생각하지 말고, 케이크 시트 위에 예쁘게 발라봐."

슬프게도 딸이 유당불내증이 있어서 유제품을 조금만 먹어도 배앓이한다는 건 까맣게 잊은 것 같았다. 케이크 시트위에 생크림을 처덕처덕 바르며 쏟아질 것 같은 눈물을 간신히 참았다. 우리 가족에게 크리스마스란 일 년 동안 오빠가 해낸 활약을 총정리해 일가친척들과 함께 축하하는 장이었다. 정확히는 우리 부모님이 하루 종일 귀에 딱지가 앉도록 오빠 자랑만 늘어놓을 수 있는 날이었다. 게다가 올해는 오빠가 큰 대회에서 좋은 성적을 냈으니, 부모님에게는 더할 나위 없이 기쁜 날이었을 것이다. 이런 분위기 속에서 일가친척들도 오빠를 위한 크리스마스 선물은 준비하지만, 나의 존재 자체는 잊어버리기 일쑤였다. 한 해 한 해 지나가며 자연스럽게 크리스마스를 더 이상 특별한 날이라 생각하지 않게 되었다.

저녁 시간이 되자 초인종이 쉴 틈 없이 울렸다. 이번 크리스마스 파티에는 더 많은 손님을 초대한 것 같았다. 아버지는 현관문을 열어 손님을 맞이하자마자 바로 오빠 이름을 크게 불러 손님들에게 인사시켰다. 그러면서 올해의 수확인 오빠의 상장과 트로피를 일일이 소개하기 시작했다. 이때 나는 부엌에서 어머니를 도와서 테이블 세팅을 하는데 정신이 하나 없었다. 그저 이 행사가 빠르게 끝나기만을 바랄 뿐이었다. 그때 누군가 어깨를 톡톡 쳤다. 뒤를 돌아보자, 부산 해운대 앞에서 약국을 운영해 '바다 고모'라고 부르는 아버지의 여동생이 서 있었다. 고모는 내 손을 끌고 방으로 들어가 문을 닫았다. 그리고 작은 쇼핑백 하나를 넘겨주었다. 그 안에는 A4 크기의 꽤 두꺼운 스케치북이 들어있었다.

"작년 크리스마스 때 낙서한 연습장을 우연히 봤어. 자신이 좋아하는 일이 무엇인지 안다는 건 큰 의미가 있지. 어떤 사람은 평생 찾지 못하기도 하니까."

살짝 미소 짓는 고모의 얼굴에서 왠지 모를 씁쓸함이 느껴졌다. 바다 고모를 보면 내 미래의 모습을 보는 것 같았다. 평생을 할아버지와 할머니가 설계해 둔 인생 목표에 맞춰 살았고, 아버지는 의사가 될 것이니 고모는 당연히 약사가 되어야 한다고 생각했다. 고모는 본인이 좋아하는 것이 무엇인지, 잘하는 것이 무엇인지도 모른 체, 이미 촘촘하게 설계된 인생 지도를 보고 목적지를 향해 걸었을 뿐이라고 했다. 고모는 길을 헤매지 않았지만, 나는 부모님이 주신 지도에서 계속 방황 중이라는 것이 큰 차이일 것이다. 나는 갑자기 무엇인가에 홀린 듯 고모가 준 스케치북의 맨 앞면을 펼쳐 그림을 그리기 시작했다. 고모는 조용히 내 옆에 앉았다. 하얀 가운을 입고 약국 의자에 앉아있는 고모의 뒷모습을 먼저 그렸다. 그리고 열려있는 약국의 창문 밖 세계에서는 새빨간 드레스를 입고 런웨이를 걷고 있는 고모를 상상해 그렸다. 170cm가 넘는 큰 키에 늘씬한 고모를 보며 늘 패션모델 신디 크로퍼드와 닮았다고 생각했다. 늘 무채색 옷을 입고 표정도 많지 않은 고모였지만, 창문 밖 세계에서만큼은 반짝반짝 빛나는 사람이 되길 바랐다. 왠지 모를 부끄러움에 고모의 눈을 쳐다보지도 못하고 완성된 그림 페이지를 찢어 조용히 건넸다. 고모는 한참을 말없이 그림을 쳐다보고 있었다. 순간의 정적은 나를 바짝 긴장하게 했다. 실례를 한 건 아닌지 괜스레 걱정이 앞섰다. 한참이 지나 고개를 들어 나의 눈을 쳐다보더니 활짝 웃으며 말했다.

"약사는 우리 조카가 해야겠는 걸? 그림이야말로 정말 사람을 기분 좋게 해주는 치료제구나."

고모의 말은 어린 조카를 향한 별 뜻 없는 격려였을 수도 있다. 그렇지만 그의 한 마디는 세상에 다양한 치유 방식이 있다는 걸 알려주었고, 미로 속에 갇혀있던 내게 새로운 나침반을 던져준 것 같았다. 이후로도 바다 고모는 내 작품의 유일한 평론가이자 컬렉터가 되어주었고, 꾸준히 연락하며 늘 힘을 실어주었다. 그렇지만 정작 부모님은 장래 희망란에 적힌 '화가'라는 두 글자에 몹시 화를 내셨다. '화가'는 그저 직업 중 하나일 뿐 나 역시도 의사인 아버지와 같이 사람들을 돕고 싶다는 것을 받아들여 주지 않으셨다. 부모님은 그림을 그리는 내가 이해가 되지 않았던 것이 아니라, 그들의 말을 따르지 않는 자식을 용납할 수 없었던 것 같다. 부모님의 말씀을 따르지 않을수록 그들은 더욱 나를 짓눌렀다. 수능을 치고 온 날 밤 모두 해방감에 젖어있었지만, 나는 끝이 없는 심연에 빠지는 것 같았다. 아버지는 수능 가채점표를 보고 내가 그린 작품들을 갈기갈기 찢으며 소리치셨다. 작품들이 종이

쪼가리가 되어 흩날리는 동안 물끄러미 창문 밖을 바라봤다. 아무것도 보이지 않았다. 그저 까만 어둠만이 가득 차 있었다. 영원히 동이 틀 것 같지 않은 칠 흙같이 어두운 밤이 계속됐다.

성인이 되자마자 바다 고모의 도움으로 겨우 미국행 비행기 티켓을 구해 유학길에 올랐다. 부모님은 레지던트 중인 오빠만 바라보느라 나를 전혀 신경 쓰지 않았다. 오히려 난 그들의 무관심 덕분에 처음으로 자유의 날개를 얻은 것 같았다. 미국에 와서 대학을 진학하기까지의 과정도 험난했다. 한인 식당 서버, 세탁소 보조, 마트 캐셔, 한국어 과외 선생 등 시간과 힘이 닿는 대로 아르바이트를 쉼 없이 했고, 가끔 바다 고모가 보내주신 용돈으로 끼니를 해결하는 생활을 했다. 6평 남짓한 원룸을 2명이서 사용했고, 창가 쪽 구석 한편에 샤워 커튼으로 칸막이를 만들어 나눈 공간이 내 집이자 작업실이었다. 늦은 밤 지친 몸을 이끌고 창가 앞 이젤에 앉아 야경을 바라볼 때만큼은 온전한 휴식을 누릴 수 있었다. 어두운 밤에 더 빛나는 네온사인들, 창문 밖 눈부신 야경은 마치 설렘으로 가득 찬 내 머릿속 같았다. 다행히도 악착같이 모은 돈과 없는 시간에도 틈나는 대로 그려둔 작품 포트폴리오로 원하는 미술 대학에 간신히 진학할 수 있었다. 재밌게도 의과대학에 진학하기 위해 신경 써둔 고등학교 내신 점수가 상당히 도움이 됐다. 내 과거가 완전히 부정당하지 않으면서 원하는 꿈을 이뤘다는 것에 세상을 다 얻은 기분이었다.

사랑도 시작했다. 나는 갓 유학을 와서 모르는 것투성이의 신입생이었고, 그는 한국계 미국인 재미교포 3세로 우리 학과를 대표하는 믿

음직한 선배였다. 한국어를 잘 못하면서도 당시 유일한 한국인 유학생이었던 나를 잘 챙겼다. 동정심 혹은 호기심이었는지 모르겠다. 학과에 몇 없는 동양인과 한국인이라는 접점 때문에 동질감을 느꼈을 수도 있겠다. 그 이유가 어떠하든 그는 당시에 성말 키다리 아저씨 같았다. 하루 종일 작업실에 콕 박혀 있으면, 어떤 날은 햇빛을 꼭 봐야 한다며 공원 한 바퀴를 돌자 하고 어떤 날은 샌드위치를 사 와 내 손에 꼭 쥐여 주었다. 또 한국어 공부를 시작했다며 삐뚤빼뚤한 글씨가 가득 담긴 편지를 하루에 한통 씩 보냈다. 맞춤법은 엉망이었고 띄어쓰기도 올바르지 않아 암호를 해독하듯이 천천히 읽어야 했다. 그 편지들에는 나를 향한 다양한 마음이 적혀있었다. 아르바이트와 학업을 병행하며 쳇바퀴처럼 살아가는 나에 대한 응원, 부모님께 인정받지 못한 내 삶에 대한 안타까움, 그럼에도 용기를 잃지 않고 작품 활동을 이어가는 나의 열정을 인정해 주었다. 처음으로 나를 온전히 이해해 주는 사람이 있다는 사실에 기뻤다. 그의 편지에 대한 답신으로 나는 그림을 그렸다. 작품 안에서 나는 춤을 추고 있고 창문 밖 세계는 오색찬란한 꽃잎들로 가득했다. 그는 그림을 두 손에 꼭 쥐고 나를 향해 환하게 웃으며 말했다.

"난 치료..가 돼.. 너의 작품을 볼 때.."

어색한 한국말이었지만 처음 내 작품을 받고 기뻐하던 바다 고모의 얼굴이 떠오르면서 마음이 뭉클해졌다. 우리 사랑은 그렇게 시작됐다. 그 덕분에 내 창문 밖 세계는 끝없이 뻗어나가는 행복감과 찬란함으로 가득 찼다. 우리는 특히 함께 여행을 많이 다녔다. 그때마다 남자친구는 창가 자리에 앉을 수 있는 카페나 레스토랑을 찾아갔다. 그러고선 함께 창문 밖 풍경을 감상하고 지나가는 사람들을 관찰하기도 하며 상상의 나래를 폈다. 우리의 상상 속에서는 평범한 공원 풍경도 영원히 꽃이 지지 않는 아름다운 파라다이스가 되었고, 자전거를 타고 다니는 사람들은 커다란 날개를 달고 훨훨 나는 천사가 되기도 했다. 우리는 여행하는 내내 틈날 때 마다 상상 속 세계에 대해 맘껏 떠들어대며 시간가는 줄 몰랐다. 때론 우리의 창문 밖 상상 세계를 스케치로 남기곤 했는데, 그때마다 마음 속 비어있던 공간에 여러 감정이 채워지는 느낌이 들었다. 기쁨 때로는 슬픔과 분노까지 그와 함께하는 모든 감정은 커다란 꽃다발이 되어 나에게 선물처럼 다가왔다. 그 꽃과 같은 감정들이 영원히 지지 않길 바랐다.

하지만 꽃은 언젠가 시들고, 우리의 감정은 예전과 달라졌다. 나를 위한 변명부터 말하면 외국에서의 유학 생활은 굉장히 버거웠다. 아르바이트와 학업을 병행하며 쉴 틈 없는 생활은 내 심적 여유도 앗아갔다. 유한한 시간 속에서 그와 함께할 수 있는 순간은 점점 줄었다. 특히 졸업 이후 학교라는 울타리에서 벗어난 내가 느끼는 압박감은 극에 다다랐다. 이제 학생이 아닌 나는 화가로 당당히 불릴 만큼 우수한 작품을 해야 했고, 우리 가족이 무시할 수 없는 위치에 반드시 있어야 했다. 야속하리만큼 빠르게 흘러가는 시간 때문이었을까. 자주 만나지 못하는 것에 종종 서운함을 표시하는 그의 존재마저도 부담스러워졌다. 여기까지가 나를 위한 변명이었다. 사실 진짜 이유는 좀 더 부끄럽다. 졸업 후 유명 갤러리에서 개인전을 하게 된 남자친구를 보며 생각이 배배 꼬이기 시작했다. 가족들부터 친척까지 모두 모여 남자친구의 작품 앞에서 찍은 사진을 보면서 괜히 쓴웃음만 지어졌다. 신심으로 그를 응원해주고 싶었는데 생각처럼 잘 안됐다. 무의식 속에 나 자신이 처한 상황을 비관하기만 했고, 남 탓만 하려했다.

응원해 주는 가족들 옆에서 걱정 없이 그림만 그렸으니 잘 안 풀리면 이상하지. 하고 싶은 것이 있다고 하면 다 하게 해줬을 거야. 나도 그런 환경이었으면 더 잘됐겠지……

자꾸 억지스러운 생각이 날 짓눌렀고, 점점 신경질적으로 변해갔다. 당연히 작품도 영향을 받았다. 거칠어진 붓 터치와 혼탁해진 색감의 창문 밖 세계는 더 이상 희망적으로 보이지 않았다. 언제쯤부턴가 창문에는 무표정한 내 얼굴만 비쳐 보였다. 그림을 그리는 것이 반드시 깨야하는 미션같이 느껴지면서 더 이상 그림을 그리고 싶지 않아졌다. 그날은 크리스마스였다. 그는 두 번째 개인전을 준비하느라 바쁘면서도 내 눈치를 보느라 애썼다. 새로 생긴 프렌치 레스토랑을 예약했다며 설레어 하는 그의 메시지에 '응'이라고 짤막하게 답변했다. 캔버스 앞에서 연신 한숨만 내쉬며 작업실에만 박혀서 시간이 흘렀는지도 몰랐다. 약속 시간이 다가와서 걸려온 그의 전화에 화들짝 놀라며 물감이 잔뜩 묻은 옷 위에 밤색 코트를 급하게 걸쳐 입었다. 헐레벌떡 레스토랑 출입문 앞에 도착하자 창가 쪽에 앉아있는 그가 눈에 들어왔다. 왼편으로 깔끔히 빗어 넘긴 머리에 윤기가 흐르는 차콜색 정장 수트까지 멀끔하게 차려입은 그를 보자 자다 깬 상태나 다름없는 내 모습이 부끄럽게 느껴졌다. 코트의 앞 단추를 급하게 여미며 레스토랑 안으로 들어가자, 그는 손을 흔들며 나를 반갑게 맞아주었다.

"잘 지냈어? 오는 길 춥지 않았어? 여기서 추천하는 코스 요리로 미리 시켜뒀어."

"이런 레스토랑 너무 비싸지 않아? 아무리 전시가 잘된다고 해도 너무 무리하는 거 아니야?"

무엇인가에 심사가 뒤틀린 듯 볼멘소리로 대답하며 자리에 앉는 모습이 너무 못났다는 걸 잘 안다. 하지만 이미 피해의식에 휩싸여 정상작동이 되지 않는 내 자신은 그의 안부도 묻기 전에 불만부터 털어놓고 있었다. 그럼에도 그는 당황하지 않고 웃어 보이며 말했다.

"우리의 크리스마스를 위해 쓰는 돈은 전혀 아깝지 않지. 내년에도 좋은 곳 가자."

아무렇지 않아 보이는 그와 대조되는 날 선 내가 더 부끄럽게 느껴졌다. 앞에 놓인 레드와인을 한입 마시자, 몸이 살짝 따뜻해지는 기분이 들었다. 내 앞에서 싱글벙글 웃으며 전시 중 만난 유쾌한 컬렉터 얘기를 털어놓는 그에게 미안한 기분이 들며 안타까웠다. 상대방의 행복을 진심으로 축하해 주지 못하는 연인이라니…….

한참이 지났을까. 웨이터가 접시를 치우러 다가오자 대화가 잠시 끊겼다. 그는 화장실을 다녀오겠다며 자리에서 일어났다. 그의 모습이 벽 뒤쪽으로 사라지자, 한숨을 푹 쉬며 의자 뒤로 머리를 기대 눈을 감았다. 분명 너무나도 즐겁고 기쁜 일인데, 왜 나는 진심으로 그를 응원해 주지 못할까. 오히려 내 자신의 상황과 비교하여 자괴감에 빠지는 이유는 뭘까. 여러 생각에 머릿속이 복잡해졌을 때 갑자기 테이블 위에 올려놓은 그의 핸드폰에서 진동이 느껴졌다. 평소엔 전혀 신경 쓰지 않았겠지만, 이미 머릿속에 오류가 발생한 나는 어느새 그의 핸드폰을 손에 들고 방금 도착한 메시지를 읽고 있었다.

안녕하세요 리차드 킴 작가님. 먼저 좋은 제안 해주셔서 감사합니다. 아쉽지만 우리 갤러리가 추구하는 방향과 작가님 여자친구분의 작품은 맞지 않는 것 같아요. 작품의 열정이 느껴지긴 하지만 다소 거칠고, 정제되지 않은 느낌이랄까요? 잠재력이 충분히 있다고 보이지만, 지금은 적절한 시기가 아닌 것 같네요. 그렇지만 작가님과는 계속 거래하고 싶습니다. 이번에 저희가 아트페어에 참여할 계획이라 작품을 좀 더 받고 싶은데 가능할까요? 답변 기다리겠습니다. 감사합니다.

메시지를 읽는 순간 마음이 쿵 하고 내려앉았다. 주고받은 메시지들을 살펴보니 남자친구가 현재 거래하고 있는 몇몇 갤러리에 나를 추천한 것 같았다. 그중에 한 갤러리 관계자가 내 작품을 살펴본 뒤 메시지를 보낸 것 같았다. 갑자기 얼굴이 빨갛게 달아오르며 수치스러워졌다. 섣부른 그의 행동이 밉기도 했지만, 사실 내 작품이 미술 관계자로부터 거절당했다는 이 상황 자체가 더욱 큰 충격으로 다가왔다. 내가 노력했던 모든 시간이 모조리 부정당하는 것 같았다. 머리 회전은 멈춰버려 아무런 생각도 들지 않았고, 당장 이 세상에서 사라져 버리고 싶은 기분이 들었다. 이 상황을 아무것도 모르는 그는 멍한 눈빛으로 창문 밖을 쳐다보고 있는 나를 향해 걸어와 촛불 하나가 일렁이고 있는 통밀 케이크를 내 앞에 내밀었다. 일반 생크림 케이크는 먹지 못하는 날 위해 그가 특별한 날 때마다 직접 제작한 케이크였다.

"해피 크리스마스."

새하얀 치아를 내보이며 환하게 웃는 그가 즐거워 보여서인지 더 화가 났다. 그의 핸드폰을 테이블 위에 툭 내려놓고 울음을 꾹 참으며 말했다.

"네 도움 따위는 필요 없었어. 늘 그랬던 것처럼 난 혼자서도 잘 헤쳐 나갈 수 있어. 이런 식의 도움은 오히려 날 더 비참하게 만들 뿐이야."

그는 당황한 듯했지만 이내 무언가 결심한 것처럼 케이크 위에 촛불을 후 불어 끄고 큰 한숨을 내쉬었다. 그러고는 내 눈을 똑바로 바라보며 말하기 시작했다,

"기분 나쁠 수 있어. 충분히 이해해. 그렇지만 알다시피 미술계에서는 혼자서만 해결하려고 하면 진전이 없지. 최대한 많은 사람에게 작품을 보여주고 평가받는 것이 널 알리는 제일 좋은 방법이라 생각했어. 자존심이 상할 수도 있지만 그런 과정은 필요하니까. 네 작품의 발전을 위해서라도."

그는 부드러운 말투로 단호하게 대답했다. 그의 말이 틀리지 않았다는 걸 나도 안다. 그럼에도 자존심이 너무나도 상했다. 왜냐하면 난 여태까지 남의 도움을 받지 않고 내 일을 해냈다는 것을 유일한 위안으로 삼아왔기 때문이다. 어린 시절의 기억 때문에 남에게 도움을 받으면 도리어 내가 원하는 목적지로 가지 못할지도 모른다는 생각이 항상 있었다. 하지만 이제는 더 이상 홀로 무언가를 해내기 쉽지 않겠다는 생각이 들면서 가슴이 답답해졌다. 그러면서 갑자기 내 입에서는 본심이 아닌 말들이 튀어나왔다.

"날 가르치지도 동정도 하지 마. 다른 사람의 도움은 필요 없어 내가 알아서 해. 왜 그들이 뭔데 내 작품을 함부로 평가하지? 너도 마찬

가지야. 작품의 발전이 필요하다고 말하는 건 날 무시하는 거 아니야? 혼자서 잘 해낼 테니까. 신경 쓰지 말고 동정하지도 말아줘."

내 말을 듣던 그가 얼굴을 살짝 찌푸리더니 좀 더 냉정한 어조로 대답했다.

"도와주려는 마음은 동정이 아니야. 네가 말했었지. 네 작품을 볼 때 사람들이 행복했으면 좋겠다고 말이야. 작품으로 사람들을 돕고 싶다면 너 먼저 치유되어야 해."

냉정한 목소리의 그는 자리에서 일어나 내 어깨를 몇 번 토닥이고 나갔다. 테이블에 덩그러니 놓인 케이크 위에 초콜릿 시럽으로 쓰인 문구가 눈에 들어왔다. '넌 늘 자랑스러워.' 삐뚤빼뚤한 글씨에 어이없게도 '픽' 하고 웃음이 나면서 눈물이 한두 방울씩 뚝뚝 떨어졌다. 그의 응원이 끝없이 계속될 거로 생각했다. 정작 나는 진심으로 응원해 주지 못했는데 말이다. 작품으로 사람들을 치유해 주고 싶다는 꿈도 시작부터 잘못되었다. 마음의 병은 여전히 깊게 자리 잡고 있다. 그러니 사랑도 꿈도 모두 이룰 준비가 되어있지 않은 것이다. 그럼에도 모든 것을 갖고 싶어 했다. 바보 같이. 레스토랑의 창문 밖을 바라보니 건너편 카페 앞에 놓인 크리스마스 트리의 전구가 반짝이고 있었다. 마치 눈물방울처럼…….

◆

'딩동'

안전벨트 표시등이 꺼지는 소리가 들렸다. 비행기는 아직 미세하게 흔들렸지만, 승무원들은 음식 준비로 분주해 보였다. 평소 비행기 공포증이 있어서 수면 유도제를 먹고 잠을 청하는 편이었고, 공항에 오는 길에 한 알을 털어 넣었지만 영 잠이 오지 않는다. 항상 오늘같이 모든 것을 잊고 잠들고 싶은 날엔 특히 정신이 말짱하다. 맛있는 음식 냄새가 솔솔 풍겨 눈을 뜨자 승무원 한 명이 카트를 밀고 앞으로 다가왔다. 승무원이 건넨 기내식엔 약간의 샐러드와 과일 몇 조각, 데리야키 소스 같은 것으로 버물어진 닭고기덮밥 그리고 아이스크림이 놓여 있었다. 유당불내증이 있다며 기내식으로 나온 아이스크림을 승무원에게 돌려주자 갑자기 옆에 앉아있던 중년여성이 말을 걸었다.

"저도 유당불내증 있는데 좀 불편하죠? 괜히 반가워서요."

갑작스러운 말에 당황스러웠지만 싱긋 웃는 미소와 발랄하고 부드러운 목소리가 친근감 있게 느껴졌다. 난 살짝 웃어 보이고는 기내식을 먹는 척하며 곁눈질로 옆에 앉은 여성을 살펴보기 시작했다. 레몬색 옷이 참 잘 어울리는 여성은 40대 초중반처럼 보였는데, 한 눈에 봐도 키가 크고 늘씬했다. 일순간 젊은 시절의 바다 고모의 모습이 겹쳐 보였다. 특히 왼팔 손목에 차고 있는 팔찌가 눈에 띄었다. 로즈골드 색상의 뱅글 모양 팔찌에는 독특한 각인이 새겨져 있는 것 같았다. 잘 보이지 않아 뚫어져라 쳐다보자, 그녀가 내 시선을 의식했는지 팔찌를 내 쪽으로 내밀며 말했다.

"어머니가 만들어주신 팔찌예요. 예쁘죠? 제 이름은 동백이라서 동백꽃 이미지랑 영문 이름인 '카멜리아*Camelia*'를 어머니가 직접 각인해 주셨죠."

동백꽃이라는 단어를 듣자 오래된 기억이 주마등처럼 머리에 스쳐 지나갔다. 때는 중학교 2학년 기말고사쯤으로 기억한다. 일명 중2병이 발병한다는 질풍노도의 시기에도 난 거센 파도처럼 밀려 들어오는 학원과 과외 수업으로 정신을 차릴 새가 없었다. 그저 파도의 흐름대로 의식을 맡기다 보면 시간이 흘러가 있었다. 그러던 와중에 학원을 함께 다니던 남학생에게 살짝 호감이 생겼는데 돌이켜 생각해 보면 그저 짝사랑 중이라는 스스로의 모습에 취해있었던 것 같다. 하지만 역시나 부모님은 약간에 마음의 울렁임도 용납하지 않았다. 당시 새벽 감성에 젖어 아무렇게나 휘갈겨 놓은 연애편지를 어떻게 찾아 읽고는 그 남자아이와 이야기해야겠다며 학원까지 찾아와 친구들 앞에서 공개적으로 망신을 주었다. 모든 것이 예민하게 느껴지던 질풍노도 시기의 소녀에겐 정말 최악의 상황이었다. 웅성거리는 아이들의 목소리와 호기심 가득한 눈빛이 지금도 선명히 기억난다. 그 남자아이의 시선이 나에게 꽂히는 순간 머리부터 발끝까지 모든 세포들이 부끄러움과 분노의 모양으로 차오르는 것 같았다. 나는 뒤도 돌아보지 않고 무작정 버스정류장으로 달려가 서울역으로 가는 버스에 몸을 실었다. 그리고 역에 도착하자마자 가장 빠른 시간의 부산행 티켓을 끊었다. 내 인생 처음이자 어쩌면 다시는 없을 일탈이란 생각에 심장이 터질 듯이 뛰었다. 그렇게 부산으로 향하는 기차 안에서 치미는 분노와 알 수 없는 해방감에 펑펑 눈물을 쏟았다. 도착하자마자 바다 고모에게 연락을 했고 숨을 헉헉 거리며 나를 데리러 온 고모는 내 눈에 마치 탑에 갇힌 공주를 구하러 온 왕자님 같았다.

그렇게 약 3일간 부산에서 시간을 보낼 수 있었다. 물론 어머니는 화를 참지 못해 당장 서울로 올라오라고 소리쳤지만, 바다 고모가 정서와 감정이 불안정해지는 사춘기의 반항적인 경향에 대해 정신의학적 측면에서 꼼꼼히 설명하자 그제야 수긍했다. 고모는 나를 위해 특별히 약국 문을 닫고 부산 가이드를 해주었다. 아침과 밤에 달라지는 푸르른 바다의 변신을 내 두 눈으로 직접 볼 수 있었고, 부산 전통 시장과 여러 식당에 들러 맛있는 음식과 간식도 목 끝까지 차오를 만큼 먹었다. 특히 뭉근하게 끓여낸 돼지국밥의 향과 맛은 아직도 또렷이 기억한다. 시간이 멈췄으면 좋겠다고 잘 때마다 기도했었다. 그렇지만 기도는 이뤄지지 않았고 서울로 돌아가야 할 마지막 날이 되었다. 바다 고모는 특별한 곳으로 나를 데려갔다. 기다란 산책로에는 수많은 나무가 심겨 있었다. 초록빛 나무에는 새 빨간 열매와 같은 동그란 모양의 붉은 꽃들이 흐드러지게 피어있었다. 너무나도 아름다운 광경에 눈도 깜빡이기 아쉬웠다. 단 몇 초라도 이 풍경을 내 머릿속에 더 담아 가고 싶었다.

"동백꽃은 겨울이 지나고 봄이 오는 시기에 피거든. 우리 조카한테도 분명 봄이 찾아올 거야. 고모는 아이를 갖는다면 태명을 '동백'이라고 짓고 싶었어. 동백꽃의 꽃말이 그 누구보다 당신을 사랑한다는 뜻이거든. 그런데 고모는 이번 생은 어려울 것 같은데, 조카가 대신 이루어 줄래?"

바다 고모는 하하 소리 내서 웃으며 나를 쳐다봤다. 자세한 내막은 모르지만, 고모는 원래 결혼을 생각한 남자가 있었다고 들었다. 하지만 지금까지 혼자 살고 있는 것을 보면 그때 사랑의 총량을 다 채운 것이 아닌가 하는 생각이 든다. 그때의 어린 나는 사랑은 쉽게 이루어질 수 있을 거로 생각했다. 하지만 지금의 나는 마음을 다하는 사랑은 무엇인지, 어떻게 사랑을 주고받을 수 있는지에 대해 고민하며 결국 모든 사랑은 끝이 있다고 생각하는 어른이 되어버렸다.

바다 고모와의 추억을 떠올리며 한참을 멀뚱히 팔찌를 쳐다보았다. 또 각인된 단어가 영문 필기체로 길쭉하게 쓰여 있었는데, 내 필체와 거의 흡사해 신기했다. 커피를 마시겠냐고 찾아온 승무원의 말소리에 정신이 번뜩 들었다. 너무 오래 팔찌를 쳐다보고 있었던 것 같아 머쓱해하며 숙였던 고개를 다시 들고 눈웃음 지으며 말했다.

"참 예쁜 이름이네요."

그러자 동백 또한 환하게 웃으며 대답했다.

"저희 어머니는 예쁘고 좋은 것을 자주 보여줬죠. 본인은 정작 그렇게 살지 못했는데도 말이에요. 또 모든 일을 생명을 다루는 일처럼 생각하라고 하셨어요. 그렇게 진심을 담아야지만 하는 일에 생동감을 불어넣어 줄 수 있다고 하셨죠. 사실 저는 프로그램 엔지니어인데 어머니의 말씀 때문에 늘 노트북을 제 목숨보다 귀하게 생각했었다니까요."

사실 동백의 말에 흠칫 놀랐다. 붓은 의사의 칼과 같다고 얘기하던 내 모습이 순간 떠올랐기 때문이다. 그러다 문득 졸업하고 나서 조급한 마음에 성공한 화가가 되겠다는 압박감과 열등감에 휩싸여 초심을 잊고 있었다는 생각이 들었다. 사실 즐겁게 그림을 그리는 것이 단순하지만 순수한 내 꿈이었다. 그런데 최근에 들어와 유명해지려는 발판으로 화가라는 꿈을 이용했던 것 같다. 그래서 창문 밖 풍경들도 마음속처럼 늘 어둡고 답답했던 것 아닐까. 물론 가족들 앞에 하루빨리 당당하게 나서고 싶다는 마음이 너무나도 컸기 때문이었고 그런 생각을 할 수밖에 없게 된 스스로가 불쌍하고 안타깝다. 하지만 그렇다고 해서 우선순위가 바뀌어서는 안됐다. 문제가 무엇인지 인지하고 나니 머릿속에서 맞춰지지 않았던 퍼즐들이 하나씩 제자리를 찾아가는 느낌이 들었다. 내가 원하는 것이 무엇인지 안다는 것. 바로 거기에서부터 다시 시작해야 할 것 같다.

동백과의 대화가 꽤 즐거워서 그랬는지 다른 때 같으면 수면유도제 때문에 정신을 못 차렸을 텐데 오늘은 전혀 잠이 오지 않았다. 오히려 그녀에 대해 몹시 궁금해져 대화에 점점 더 빠져들었다. 다행히 동백은 먼저 질문하지 않아도 본인의 얘기를 속사포처럼 계속 털어놓았다. 동백은 소프트웨어 개발자로 관련 사업체를 운영 중이라고 한다. 이러한 진로를 결정하게 된 데에는 어머니의 영향이 컸다. 동백의 어머니는 늘 무엇을 하든 사람들의 아픔을 치유하고 기쁘게 만들 수 있는 일을 하면 좋다고 이야기했다고 한다. 그래서 모든 사람들을 도울 수 있는 프로그램을 개발하는 개발자의 꿈을 갖게 되었다고 한다. 동백은 자신의 얘기를 신나게 하면서도 특히 어머니와 관련된 얘기를 할 때 더 반짝반짝 빛이 났다. 또 그가 얘기하는 어머니의 모습이 내가 바라는 이상향과 가까워서인지 더 쉽게 몰입이 되었다. 이렇게 자녀가 진심으로 자랑스러워하는 부모이자 한 사람의 어머니가 된다는 건 어떤 기분일까. 마음을 쏟아 어머니를 칭찬하는 동백의 모습이 사랑스러워 보였다. 비행기 출발 몇 시간 전만 하더라도 분명 세상이 외면하고 있다고 생각했는데, 자신의 얘기를 하며 즐거워하는 동백의 모습에 설레는 기분마저 들기 시작했다.

"동백님도 어머니에게 그 무엇보다 자랑스러운 딸일 것 같네요."

동백의 눈가가 살짝 붉어지더니 가방 깊숙이 있던 사진 한 장을 꺼내 나에게 건네주었다. 사진 속 동백은 놀이공원 같은 곳에서 키가 크고 호리호리한 남자와 어깨동무하고 있었다. 그리고 두 사람 앞에는 초등학교 저학년쯤으로 보이는 여자아이 둘이 함박웃음을 지으며 서 있었다.

"제 두 딸인데, 세상에서 할머니를 제일 좋아해요. 특히 큰 아이는 할머니를 닮아서 상상력이 엄청 풍부하고 꿈이 화가가 되는 것인데, 그래서……."

동백의 말이 채 끝나지도 않았는데, 갑자기 잠이 쏟아지기 시작했다. 수면유도제의 효과가 이제 나타나나 싶었지만 눈을 뜨기 힘들만큼 졸린 느낌은 너무나도 갑작스러웠다. 눈이 침침하고 가물가물해지면서 목소리도 나오지 않았다. 점점 정신이 혼미해졌고, 몸이 어딘가 다른 세계로 빨려 들어가는 듯한 느낌이 들었다.

더 이야기하고 싶은데, 이대로 잠들면 안 될 것 같은데……

◆

얼마나 잠들었을까. 비행기 안 조명은 어둑어둑했다. 미세한 떨림도 느껴지지 않아 마치 진공포장 된 상태로 우주 공간 어딘가를 떠다니고 있는 것 같았다. 정신을 들자 아까 대화를 제대로 끝마치지 못했던 것이 떠올랐다. 고개를 돌리자 안대를 쓰고 있는 동백의 머리가 옆으로 툭 떨궈져 있는 것이 보였다. 아무래도 깊이 잠든 것 같았다. 반면 푹 자고 일어나 두 눈이 말똥말똥해진 나는 이상하리만큼 상쾌하고 개운했다. 두 팔을 쭉 뻗으며 기지개를 켜자, 왼편에 앉아있던 노신사가 나를 쳐다보는 시선이 느껴졌다. 혹시 내 움직임이 방해를 한 걸까. 살짝 민망한 기분이 든 순간 노신사는 내 옆으로 수첩을 내밀었다. 그의 움직임에 화들짝 놀랐지만, 짐짓 아무렇지 않은 척 그가 건넨 수첩을 쳐다보았다. 수첩 사이에는 검은색 볼펜이 하나 끼어있었고, 종이 위에는 깔끔한 필체로 이렇게 적혀있었다.

'혹시 저를 위해 그림을 한 점 그려줄 수 있을까요?'

장난을 치는 건지 알 수 없는 당황스러운 부탁에 노신사를 쳐다봤지만, 어두운 조명과 모자 아래 그림자 때문에 그가 어떤 표정을 짓고 있는지 잘 보이지 않았다. 내가 그림을 그리는 일을 한다는 것을 모를 텐데, 도대체 어떻게 이런 부탁을 하는 건지 의아해하던 찰나, 블라우스 소매 끝에 엉겨 붙어 있는 물감 덩어리가 보였다. 언제 묻은 건지 알 수 없을 만큼 이미 딱딱하게 굳은 물감과 그 주변엔 여러 물감 색깔이 물방울무늬처럼 튀어있었다. 늘 편하게 입는 옷이었기에 이 지경이 되어있는지도 몰랐다. 머쓱해진 기분에 머리를 긁적이며 물감이 묻은 블라우스 소매 끄트머리를 손안으로 힘겹게 말아 쥐었다. 그리고 답변을 적은 뒤, 수업시간 몰래 쪽지를 주고받는 여고생처럼 조심스럽게 수첩을 돌려주었다.

'급하게 준비하느라 작업복을 입고 왔지만, 그림을 그리지 않은지 꽤 됐어요. 비행기 안에서 갑자기 그림을 그린다는 것도 좀 어색하고요.'

그가 한 황당한 부탁에 비해서는 최대한 상냥하게 답변한 것 같았다. 어색한 공기를 얼른 벗어나고 싶어 졸린 척 눈을 감았다. 그럼에도 노신사는 아랑곳하지 않아 하며, 이번엔 나지막이 말을 걸었다.

"나이가 들면서 슬픈 건 모든 감정에 무뎌졌다는 거요. 그림으로나마 기억을 되살리고 싶소이다. 혹시 내 가장 행복했던 순간을 그림으로 표현해 줄 수 있겠소? 간단한 스케치도 괜찮소만."

노신사의 목소리가 크지 않아 명쾌하게 들리진 않았지만, 왠지 모를 절실함과 단호함이 느껴졌다. 그래서인지 이번에 또 거절 한다 해도 그 또한 부탁을 쉽게 멈추지 않을 것 같았다. 대충이라도 그려주면 되지 않을까 하는 생각에 일단 독서 등을 켰다. 내 자리에만 스포트라이트를 쏜 듯 갑자기 밝아진 불빛 때문에 눈이 살짝 아려왔다. 그리고 의자 안쪽에 넣어있던 테이블을 꺼내 피자, 그는 테이블 위에 수첩을 쫙 펼쳤다. 불빛에 수첩을 찬찬히 살펴보자, 빳빳한 종이와 질감이 애초에 그림을 그릴 때 쓰는 크로키북인 것 같았다. 종이 위에 볼펜이 잘 나오는지 확인하고 준비되었다는 표시로 고개를 끄덕이자, 노신사는 이야기를 시작했다.

"눈이 새하얗게 내리는 화이트 크리스마스였어요. 아내가 갑자기 쓰러져 우리는 병원에서 크리스마스를 맞았죠. 손을 잡고 창문 밖을 바라보며 캐럴을 들었어요. 그때 아내가 그렇게 얘기하더군요. '당신과 이렇게 창문 밖을 바라보고 있는 순간이 가장 행복하다' 고요."

그는 기억을 회상하다 울컥했는지 주머니에 있는 손수건을 꺼내 눈물을 훔치고는 계속 말을 이어갔다.

"할 수 있는 게 많지 않았지만 그럼에도 제 아내는 꿈을 잃지 않았어요. 그림을 그리는 사람이었는데, 의식을 잃기 직전까지도 붓을 놓지 않았죠. 크리스마스 날에 환자들의 병실에 직접 찾아가, 그들의 못다 이룬 꿈을 듣고 그림을 그려 선물해 줬죠. 어떤 사람은 가족들과 근사한 레스토랑에서 식사하는 소박한 꿈을 이야기하기도 했고, 어떤 이는 백만장자가 되어 세계여행을 하는 꿈을 얘기하기도 했죠. 그렇게 세상에, 어디에도 없는 그림을 그리면서 사람들의 마음을 치유할 수 있는 그림을 그렸죠. 제 아내는 정말 멋지고 소중한 사람이었어요. 그러니 당신도... 절대 포기하지 말아요."

노신사는 눈물을 멈추고 볼펜을 쥔 내 손을 꼭 잡았다. 그의 당황스러운 행동에 어리둥절하기도 잠시 볼펜 뚜껑에 적혀있는 이니셜이 눈에 들어왔다. *'리치 Richie'.* 이건 분명 리차드의 애칭이었다. 화들짝 놀라 모자의 그림자에 가려진 노신사의 얼굴을 자세히 보려고 하자, 갑자기 몸을 가누기 힘들 정도로 비행기가 미친 듯이 흔들리기 시작했다. 당장이라도 추락할 것처럼 비행기는 좌우로 흔들렸고, 산소 호흡기까지 떨어지며 그야말로 패닉상태가 되었다. 수십 개의 벼락이 비행기를 때리는 듯한 엄청난 굉음에 귀가 터질 것 같았다. 질끈 감은 눈을 간신히 뜨자 어디선가 들어온 새하얀 빛이 비행기 앞머리부터 서서히 퍼지고 있는 것이 보였다. 그리고 순식간에 커다란 빛이 나에게로 가까워져 오더니 이내 비행기 안에 있는 모든 것을 삼켜버렸다.

◆

"프로그램을 종료하겠습니다."

실험실 밖에 앉아있던 사람들이 일제히 일어나 서로 부둥켜안고 손뼉을 치며 기뻐했다. 이번 프로젝트는 성공이었다. 난 오래전부터 '삶의 한순간*One Moment In Life*'라는 프로젝트를 진행해 왔다. 무의식에 빠진 코마 상태의 환자들과 소통할 수 있는 가상 현실 체험 시스

템을 개발하기 위해 각계 전문가들이 모여 애를 썼다. 문제는 코마 상태에 빠진 이들이 머릿속에서 스스로 현실이 아니라는 것을 깨닫게 되면 금세 연결이 풀려버리는 것이다. 그래서 우리는 그 문제를 해결하기 위해 최대한 현실적이고 익숙한 가상공간을 설정하여 최대한 오랜 시간 동안 환자가 어색함을 못 느끼게 만드는 것이 중요했다. 그리고 이번 프로젝트에서 나는 병환으로 의식을 잃었던 어머니와 만날 수 있었다. 사실 이 프로젝트를 구상하게 된 것은 아버지의 영향이 컸다. 아버지는 젊은 시절 잠시 어머니와 헤어진 시기가 있었는데, 그때 자신이 어머니를 너무 외롭게 만든 것 같다며, 어머니가 홀로 탔었던 비행기에 잠시라도 함께하고 싶다고 제안했다. 프로젝트 과정은 꽤 험난했다. 아버지와 나는 연기수업을 받는 배우처럼 오랜 기간 동안 가상의 상황을 예측해 연습하고 또 연습했다. 하지만 실제 가상 세상에서 젊은 시절 어머니의 얼굴을 보자 이성적으로 행동하기 어려웠다. 오랜 시간 보지 못했던 손녀들의 얼굴을 잠시 보여주자, 어머니의 예전 기억과 겹쳤는지 잠시 연결에 오류가 있기도 했다. 다행히 금방 복원할 수 있었고 아버지께서도 잠시나마 어머니와 얘기를 나눌 수 있었다. 그리고 젊은 시절의 어머니에게 응원의 한마디를 할 수 있었음에 기뻤다고 한다. 실험이 끝나자 머리가 깨질 듯 아파왔지만, 실험이 성공했다는 것과 잠시라도 어머니를 만날 수 있었음에 너무나도 행복했다. 환호하는 사람들 속에서 홀로 조용히 소리 없는 눈물을 흘리자, 아버지가 곁으로 와 내 어깨를 살짝 안아주었다. 그렇게 우리 둘은 잠깐 동안 아무 말 없이 서로를 안아 주었다.

◆

창문 밖의 행복한 시공간을 담는 작가 … 회고전 개최

평생 창문 밖의 아름다운 풍경을 마음에 담아 작품 활동을 해온 작가 김재하가 영면에 들었다. 김화백은 난치병에 걸려 작고하기 전까지도 창작열을 불태웠다.

이번 전시는 대표작 〈창문 밖에 우리는〉 연작을 중심으로 작가가 마지막까지 그렸던 스케치들이 전시된다. 작가는 창문 밖을 바라보며 상상해 온 아름답고 꿈같은 풍경을 한 폭의 그림에 표현했다. 작가는 아픔이 있는 사람들을 직접 찾아가 소통하며 그들의 마음 소리를 듣고 이를 작품으로 담아내 큰 반향을 불러일으켜 귀감이 되고 있다.

.

.

.

작가는 작고하기 전 마지막 인터뷰에서 본인의 그림에 대해 다음과 같이 설명했다. "제 작품에서 창문은 늘 안과 밖으로 나뉘어졌죠. 창문 안 현실은 볼품없지만, 창문 밖의 세상은 언제나 아름답거나 혹은 꿈꿔오던 모습 그대로이죠. 그러니 우리는 더 이상 창문이라는 틀 안에 갇혀있어서는 안 돼요. 용기를 내서 창문 밖으로 나가야지만 진정

한 우리를 만날 수 있고, 숨어있던 아픔도 치유할 수 있을 거로 생각합니다. 그러니 밖을 쳐다보기 두려워하지 마세요. 당신의 창문 밖 세상은 분명 눈부시게 아름다울 거예요."

기다림의 농도

하정민

하정민 늘 배우고 도전하는 사람

창밖에는 눈이 내리고 가습기는 수증기를 안개처럼 뿜어낸다. 거친 호흡 소리만 아니었으면 아버지는 평온한 표정으로 곤히 주무시고 계시는 것 같았다. 12월 거리는 온통 크리스마스 장식과 연말에 들뜬 분위기 일색이지만 병실 안은 고요했다. 이 대조적인 상황이 현실과 동떨어진 느낌을 받게 했다. 아버지는 외항선의 항해사라 일 년에 몇 번 얼굴을 마주할 수 없었지만 아버지가 오시기 전날은 생기 없던 집이 마치 크리스마스처럼 분주하고 활기차게 살아나는 것을 느낄 수 있었다. 우리는 오랜만에 집에 오시는 아버지를 위해 청소를 하고 맛있는 음식들을 준비하며 명절보다 더 분주하게 움직였다. 그리고 짧은 만남 후에는 긴 이별의 여운이 기다리고 있었다. 어릴 때의 기억은 늘 선명하지 않고 음영만 있는 흑백 TV처럼 생각이 흐릿하게 나지만 몇몇의 기억은 마치 어제의 일처럼 유독 뚜렷하다. 아버지는 내가 잠에서 깨기 전 이른 새벽 나가셨기 때문에 떠나는 뒷모습을 본적이 없었다. 언제 간다고 말해주지 않아도 아버지가 가시기 전날에는 집안 공기에 마치 무게추를 달아놓은 것처럼 무겁게 느껴졌기에 어렴풋이 느낄 수가 있었다. 아버지가 가는 모습을 보고 싶어서 잠들지 않으려 버텨보았지만 눈을 떠보면 어느새 동이 터있고 아버지가 떠난 집은 다시 고요해져 있었다. "야 김지은이, 니 아버지 안 계신다며." "아니거든, 우리 아버지 외국 나갔어! 한 달만 있으면 내 생일 때 오실꺼다 인형의 집이랑 분홍 구두도 사오고 같이 놀이동산도 가기로 했어!" 초등학교 입학을 앞두고 아버지는 내 생일에 맞춰 돌아오겠노라 약속하셨다. 나는 달력에 하루하루 날짜를 표시하며 들뜬 마음으로 기다렸다. '이번에 오시면 아래층 미선이를 불러서 꼭 자랑해야지, 선물도 자랑하고 서울에 있는 놀이동산에도 다녀와서 코를 납작하게 해줘야지' 생일날이 하루하루 다가오면서 설렘을 주체하기가 힘들었다. 너무 기다려진 나머지 시간이 빨리 지나갔으면 하는 마음에 시계를 몇 시간 앞으로 당겨놓기도 했다. 생일날 나는 인형의 집과 분홍 구두를 선물로 받았지만 놀이동산은 가지 못했고 미선이의 코도 납작하게 만들어 주지 못했다. 집은 여전히 생기 없이 조용했으며 평소와 같은 저녁상에 위에 하얀 생크림 케이크가 하나가 더 올라와 있을 뿐이었다. 기다림에는 두 종류가 있다. 설레는 마음으로 즐겁게 기다릴 수 있는 기약이 있는 기다림과 끝이 어딘지도 모를 깊은 어둠 속에 빠진 마냥 한없이 기다려야 하는 잔인한 기다림이 있다. 하루는 늦을 수 있지, 일주일은 늦을 수 있지 한껏 부풀었던 마음에 바람이 빠지고 나니 그 자리에는 실망감과 원망이 자리 잡고 있었다. 다시 아버지의 얼굴을 본 것은 내 생일도 지나고 입학식도 지난 늦은 봄날이었다. 분명 미움보다는 반가움이 더 컸지만, 전과 다름없이 아무 일 없었다는 듯 나를 안아주려는 아빠가 너무 얄미워서 맘에 없는 소리와 눈물이 왈칵 쏟아졌다. “저는 이제 아빠가 싫어요! 다시 집에 오지 마세요.” 아버지가 그때 뭐라고 대답을 하셨는지 어떤 표정이었는지 이후로는 기억이 흐리지만 그 짧은 문장을 말하면서도 입속으로 줄줄 흘러 들어온 눈물의 짠맛은 아직도 기억이 생생하다. 아버지는 그날 이후로 집에 돌아오지 않으셨고 자다가 인기척에 방문을 열어보니 불 꺼진 주방에서 어머니가 숨죽여 울고 있었던 것을 두어 번 봤던 기억이 난다. 긴 동면에 들어가듯 우리 집은 다시 생기를 잃어갔다. 초등학교를 졸업할 즈음에는 엄마도 일을 하신다며 나가서 나는 늘 텅 빈 집에서 혼자가 익숙해졌다. 저녁에는 엄마를 기다렸고 새벽 내내 자고 나면 혹시나 아버지가 와계시진 않을까 하염없이 기다렸다. 내가 그때 아버지에게 반갑게 안겼더라면 달라졌을까? 몇 번이나 곱씹어 보고 후회했는지 모른다. 학창 시절은 기다림과 후회의 상실감으로 가득해서 늘 혼자였지만 외로움이 들어올 틈은 없었다. 대학을 졸업할 때 즈음에야 아버지의 부재는 내 잘못이 아니었다는 것 그리고 홀로 육아를 하며 미숙한 생명체를 하나의 인간으로 번듯하게 키워주신 어머니의 고충이 그제야 눈에 들어왔다. 어머니는 본디 단단한 사람이라고 생각했는데 나이가 들고 보니 남에게 감정을 들키지 않는 것 평평하게 감정을 유지한다는 것이 얼마나 힘든 일인지 알게 되었다. 고작 서른 남짓한 나이에 나를 홀로 키우면서 남몰래 얼마나 눈물을 흘렸을까 안쓰러운 마음이 들었다. 아버지는 집에 오진 않았지만 이따금 수신자의 주소가 쓰여 있지 않은 카드를 보내주었고 띄엄띄엄 용돈을 부쳐 주셨다. 몇 해 전 물건을 정리하며 어릴 적

보물 상자를 열어봤는데 고등학교 입학을 축하한다는 카드가 마지막이었다. 한 번쯤 아버지의 삶에서 엄마와 나는 어떤 부분이었는지 물어보고 싶었다. 담요 아래로 마른 가지 같은 손이 삐져나와 있었다. 결은 다르지만 길고 마디가 두꺼운 투박한 손 남편과 아빠의 손이 비슷하게 닮아있었다. 남편을 친구 대신 나간 소개팅에서 만났다. 장맛비가 한창인데다 퇴근 시간이라 상대도 으레 늦겠거니 느긋한 마음으로 커피를 홀짝이고 있었는데 비를 맞고 헐레벌떡 누군가 들어왔다. "지은씨 맞으신가요? 오래 기다리셨어요? 차가 너무 막혀서 약속 시간에 늦을까봐 뛰어왔더니 우산을 써도 볼품없이 비를 쫄딱 맞았네요." 오래 기다렸냐는 말에 나도 모르게 눈시울이 촉촉해졌고 그는 적잖이 당황했다. 작은 약속을 중요히 생각하는 사람이었고 무엇보다 나를 기다리게 하지 않는 점이 좋았다. 일 년의 연애 끝에 우리는 결혼을 했고 나는 아버지의 손이 아닌 남편의 손을 잡고 당당히 입장했다. 그때 잡아보지 못한 그 손을 잡아보았다 약간의 온기가 돌고 있었다. 퇴근하고 막 병실로 왔던터라 아직 내 손이 차가웠는지 움찔 움직였다. 남편은 내 손이 차갑다며 자주 핀잔을 주었는데 그때마다 나는 원래 겨울에 태어난 아이들은 손발은 차갑지만 속은 따뜻하다며 맞받아쳤다. 결혼생활 속에서 누군가 함께한다는 따뜻함 속에서 평온함을 느꼈다. 더 이상 마음을 힘들게 하는 감정들을 억누르며 싸울 일이 없다는 것에서 매 순간 행복했다. 한 번의 작은 기적이 찾아왔지만 우리를 스쳐 지나갔고, 습관은 변하지 않는 듯 나는 자책 속에 괴로워하며 웃음을 잃어갔다. 남편은 술에 취해 나는 손 뿐만 아니라 속도 차가운 사람 같다며 아무리 따스하게 끌어안고 보듬으려 해도 곧 응달에 쌓인 눈처럼 녹지 않고 다시 얼어버린다는 말을 했다. 일순간 집안의 공기에 무게추가 달린 것 같았다. 다음날 눈을 떠보니 식탁에는 몇 장의 서류와 함께 대답을 기다린다는 짧은 메모가 남겨져 있었다. 그가 나를 사랑하긴 했던 것일까? 우리는 사랑의 흉내만 냈던 것일까? 예감했던 일이기에 조금은 서글프단 생각이 들어도 그리 슬프지는 않았다. 사랑도 받아 본 사람이 줄 수 있는 것 인가보다. 내가 부족했다는 생각이 들었다. 한편으로는 헤어지는 연인들이 하는 진부한 멘트가 떠오른 것을 생각하니 쓴웃음이 나왔다. 마침 병실에는 아버지와 나 둘뿐이었다. 남편에게도 아버지에게도 늘 궁금했던 질문을 나지막이 물어보았다. “저를 사랑했나요? 원망하고 미웠지만 늘 기다리고 있었어요” 순간 아버지가 내 손을 살포시 잡았다. 말하지 않아도 느껴졌다. 나에겐 너무나 충분한 대답이었다. “사랑한다, 미안했다.” 25년 전의 그 날처럼 입속 가득 짜디짠 눈물이 흘러들었다. 이것이 아버지와 나와의 마지막 추억이 되었다. 호흡과 맥박이 안정되었다는 얘기를 듣고 잠깐 눈을 붙이러 간 사이에 아버지는 돌아가셨다. 일가친척이 없던 터라 장례는 조용하고 단촐하게 치러졌다. 나의 오랜 기다림이 비로소 끝이 난 것 같았다. 이젠 기다림이 미움이 아닌 그리움으로 변해가는 순간이었다. 용기가 생겼다. 남편에게 전화를 걸었다. 남편은 한 번도 나를 기다리게 한 적 없는 사람인데 나는 늘 그를 기다리게 했던 것 같았다. 그도 내가 미울까? “나예요, 서류 가져가요.” 창밖에는 벚꽃이 눈처럼 흩날리고 가습기는 수증기를 아지랑이처럼 뿜어낸다. 거친 호흡 소리만 아니었으면 남편은 평온한 표정으로 곤히 자는 것 같았다. 며칠 전 소포를 받았다. 아버지의 동료가 짐을 정리하다가 나왔다면서 수첩 몇 권을 보내주셨다. 아버지는 항해를 나가실 때 항상 수첩에 그림도 그리고 일기도 쓰신 모양이었다. 어떤 날은 일기 대신 이국적인 해외 해변의 스케치가 있기도 했고 어떤 주방장이 어떤 음식을 잘하는지 등등이 쓰여있기도 했다. 아버지의 흔적을 따라간다는 생각에 한 자 한 자 눈에 새기며 수첩의 마지막 장을 넘겼다.

2019년 5월 28일

지은이 결혼식을 멀리서 지켜봤다. 미안하다 찬수야 네가 그 손을 잡고 들어갔어야 하는데… 못난 친구를 용서해주겠니

공존공감_만타시커_
몰 다이브의 비밀

박유정

박유정

글은 마음 속 영혼의 지도를 그리는 것이라 생각합니다. 태초의 근원 에너지와 신화, 미스테리한 것들, 그리고 존재 이유 규명에 관심이 많습니다. 다차원의 세계에서 또 다른 나와 만날수 있을까요? 어디로부터 어디로 향하는지 고민중입니다.

email: kamzzy5@gmail.com

instagram: @yvonneyoujung_park

비밀의 화원

메리는 열쇠를 꺼내 열쇠 구멍 안으로 넣어 보았다. '찰칵' 소리와 함께 열쇠가 돌아가자 메리의 흥분은 절정에 다다랐다.

열쇠가 돌아가자 운명의 수레바퀴가 같이 돌았다. 비밀의 화원 안에 무엇이 있을지는 아무도 모른다. 메리는 용감하게 그 문을 열었다. 비밀의 화원으로 들어가는 것은 나만의 신세계로 들어가는 것이다. 그것은 새로운 차원으로의 진입을 의미한다. 절정의 순간에 흥분과 설레임 같은 달콤한 감정만 있을까? 새로운 것을 넘어서는 스스럼없는 용기가 있고 나서야, 현상의 죽음과 탈피 후에 그 다음으로 넘어간다. 수레가 굴러간다.

뉴 월드 새로운 접점

그것은 신세계와의 접점이다. 그 공간은 핵을 중심으로 둘러싸여 있다. 창조의 시대에 대지의 여신 가이아를 하늘이 동그랗게 둘러 싸는 것처럼. 땅을 중심으로 응집되어져 뭉글뭉글한 물질이 둘러싸는 방식으로 이루어져 있다. 새로운 것은 균일하지 않다. 이질적이고 설레임이 가득하다. 그러나 만족스러운 행복함의 감정만은 아니었다. 나는 어디를 헤메고 있는가? 꿈인지 현실인지 분간이 되지 않는다. 체감하는 현재는 이렇게 생생하다. 시야가 확보되지 않는다. 정신을 차리자! 묵직함과 함께 평안함을 느끼는데 긴장감이 더한다. 아래로, 아래로, 깊이깊이 아래를 향하여 가라앉고 있었다. 아래의 공간은 묵직하면서도 안온한 압력으로 가득한 공간이었다. 비어 있지 않았다. 약간의 두려움… 아니 아주 약간의 흥미와 대부분의 두려움으로 가득 찬 순간이었다. 혼동이 왔다. 약간 메슥거리기도 했다.

웨이트의 무게에 의지해서 깊이 내려갈수록 일정한 압력이 더해지고 있었다. 수압과 함께 긴장된 마음의 무게도 더해지고 있었다. 거친 기계음 같은 호흡소리만 일정하게 들려온다. 풍경이 이질적인 것인가, 아니면 감각이 이상해진 것인가? 로프에 의지하며 이퀄라이징을 했다. 코와 귀의 평형을 맞추었다. 나는 그 공간에 침투하고자 했다. 안정된 작은 틈에 잘 안착할 수 있을까? 지점인지 공간인지 모르는 그 순간을 지나치면서 내 몸은 그 공간의 틈에 적응을 해 나아갔다. 그러나 스치는 순간마다 일체감이 아니라 이질감을 느낀다. 영혼과 몸이

엇 박자를 이루는 듯하다. 내 몸과 영혼의 비껴간 주파수를 맞추려 했다. 나는 이 공간의 이물질이다. 시차의 이동을 거듭하며 일체화를 시도한다. 바닥을 향할수록 의식이 점점 더 명료해지고 있었다. 그나마 좋은 징조이다.

꿈이 아니고 현실이구나. 바다라는 공간이 나를 평온하게 한다. 양수에 들어가면 이런 기분일까? 리듬과 맥박이 멀리서 파동처럼 울려왔다. 감압을 하면서 바닥으로 바닥으로 하강했다. 그 곳은 빛이 있으나 빛이 없었다. 고요함과 울먹거리는 소음이 공존하는 공간이다. 이 열대의 바다는 분명히 '크리스탈 클리어'의 대명사인데, 지나간 태풍의 여파일까? 다이빙 마스크를 통해 비치는 시야는 여전히 불투명하다. 내뱉고 있는 숨결이 방울로 이루어져 나의 몸을 휘돌아 감싸며 주위를 둘러 안았다. 나는 계속 아래로 아래로 하강하며 새로운 세계로 가라앉았다. 기포와 같이 작은 물고기들이 따라붙었다. 길을 인도하는 것인가? 그 문을 찾고, 그 문에 닿을 것이다. 이것은 하나의 의식이다.

신전의 벽화가 가리킨, 알렉스가 짚어준 포인트가 여기인데. 아직도 약간의 불안과 초조함이 엄습한다. 달이 떴고 처음 입수했을 당시와 비슷한 상황이다. 아래를 찾을 수 있을까? 아래와 만날 수 있을까? 나도 아래처럼 그 공간의 문을 열 수 있을지도.

한국_ 예지몽

매미소리가 짱짱하다. 가만히 있어도 더운 여름이다. 학교 경영대 앞 커피 자판기 앞에서 친구들을 만나기로 했는데 시간이 늘어진다. 기다리다 문득 잠이 들어버리고 말았다. 잠깐 졸았는데 누군가 내 어깨를 툭 친다. 놀라서 뒤 돌아보니 절친인 아래다. 아니, 아래가 아닌가? 눈을 들어 마주치는데 눈동자가 보라색이다. 헉…보라색? 눈동자가 칼날처럼 뻗어 나아간다. 짙푸른 남색으로 끝도 없이 색이 번져 나아간다. 아래가 둘이다. 거울인가? 아래는 이미 아래가 아니었다. 돌돌 말린 고사리과 식물처럼 퍼져 나가고 있었다. 아래는 슬라임 같은 형상으로 전이되었다. 나는 순간 공황상태에 빠졌다. 내 몸을 덮치고 있었다. 그 때 물리적인 힘이 나를 가격했다. 순간 화들짝 놀라면서 잠이 깨었다. 아니 이마를 박았다. 눈을 드니 아래가 해사하게 웃고 있었다. 빛에 투영되는 아래의 눈동자가 순간적으로 두 가지 색으로 겹쳐 보였다. 꿈의 여파인가? 아래는 나의 제일 친한 친구다. 내가 재수를 해서 나이는 나보다 한 살 어리지만 같은 학번이다. 나이가 무슨 상관인가? 아래는 유리 구슬같이 맑고 이쁘다. 그리고 눈동자 색이 맑은 갈색으로 투명해서인지 뭔가 묘한 매력이 있는 스타일이다. 처음 봤을 때 밝고 뽀얀 피부와 맑은 눈동자 색으로 외국인 인줄 알았다. 아이와 성숙한 여자가 공존하는 느낌이라고 해야 하나. 여자인 내가 느끼기에 그렇다는 것이다. 미스터리한 마력이 있다고 하는 표현이 맞을 것이다. 처음 만났을 때부터 우리는 잘 통했다.

꿈에서 깨자마자 바로 아래의 얼굴을 보니 느낌이 묘했다. 나는 소스라치게 놀라며 신음을 흘렸다.

"여기서 이러고 있으면 어떻게 해? 그리고 왜 그렇게 귀신이라도 본 것처럼 그래? 나 한테 뭐 잘못한 것 있는 거 아니야?"

"아래야, 아니야, 아무것도…그냥 어제 열대야로 잠을 설쳐서 그런 가봐."

"빨리 여행 계획이나 세우자!"

명랑한 아래의 리드로 이번 여행이 빠르게 진행되었다.… 아래는 항상 새롭고 멋지다.

우리는 열대의 섬으로 여행을 떠난다! 급조된 여행 계획에 함께 하기로 한 친구들 모두 흥분했다. 세상의 반 이상이 바다인데 사람들은 주로 지상세계, 지표면만 돌아다니고 있다. 여행을 아무리 많이 다녀도 결국 세상의 표면만 돌아다니는 거잖아. 세상의 나머지 반을 들여다본다는 생각에 가슴이 부풀어 올랐다. 기분이 몽글몽글해진다. 완전히 재미있게 즐기다 와야겠다. 우리는 이번 여행을 위해서 다이빙 자격증도 따고 나름대로 맹훈련을 거듭했다. 꾸준히 수영장을 열심히 다녔다는 의미이다. 하하! 친구와 같이 준비해서 자격증도 따고 새로운 것을 체험하러 가는 모든 것이 즐겁다. 열대의 바다에는 어떤 종류의 물고기가 많을까? 만타 레이도 보고 고래도 만나야지, 아래는 아주 흥분을 했다. 아래의 오빠인 현석과 친구도 같이 가기로 했다.

섬

친구들과 같이 떠나는 해외여행은 이번이 처음이다. 싱가폴을 경유해서 가는 스케쥴이다. 친한 친구와 함께 하니 모든 것이 새롭게 느껴진다. 환상의 열대 몰 다이브에 도착하니 저녁이다. 달구어진 열대의 공기를 머금고 귓가에 바람이 스친다. 기분 전환에 최고다. 여행의 피로가 풀리는 듯하다. 내일부터 열대 바다에서 다이빙을 할 생각을 하니 마음이 더욱 근질거린다. 야자수가 우거진 숲에 위치한 오두막 형태의 코티지에서 밤 하늘을 올려다보니 별이 무수히 많다. 섬의 밤하늘은 도심하고 이렇게나 많이 다르구나. 이 곳은 천국이다.

우리는 다음 날 새벽부터 서둘렀다. 미리 예약을 해 둔 스쿠버 다이빙 샵으로 향했다. 쾌청한 날씨 라고만 표현하기에는 하늘의 색과 구름이 너무나 환상적이다. 아래 오빠인 형식과 친구인 현석이는 이미 프로급의 다이빙 실력을 가지고 있고 자격증도 가지고 있다고 했다. 샵의 오너이자 하이 레벨의 시니어 다이빙 지도자인 알렉스가 진두 지휘를 했다. 배에 나누어 타고 스쿠버 다이빙을 위한 포인트로 들어갔다. 수중 관찰을 위해서는 바다생물이 모이는 지점으로 이동을 해야한다. 내가 탄 배에는 외국인들이 많았다. 노부부와 어린아이도 있었다. 아이가 열대지방에서 볼 수 있는 어종의 리스트를 가지고 일일이 체크를 하면서 다이빙을 준비하고 있었다. 나보다 더 전문적이고 학구적인 듯했다. 다이빙 샵의 주인인 알렉스는 굵게 웨이브 진 장발의 미남이었다. 어두운 회색 눈동자에 그을린 구릿빛 피부를 가지고 있었다. 밝게 웃을 때 드러나는 하얀 이가 근사했다. 가슴에 리드미컬한 문신이 가득했다. 목걸이 패턴 같이 가슴에 걸려있는 문양이 인상적이었다. 잠수복과 장비를 착용하고 포인트에서 입수를 시작했다. 우리는 짝을 지어서 서로를 보아주며 다이빙을 시작했다.

차례차례 모두들 숨을 죽이고 한 곳에 모여 들었다. 바닥에 납짝 몸을 붙여서 숨을 죽였다. 열대의 바다는 다르다. 형형색색의 산호와 화려한 물고기들이 가득이다. 기포가 방울방울 빛을 반사하며 떠올랐다. 큰 바다 거북이 무심히 스쳐갔다. 알렉스가 거북이를 자연스럽게 터치하면서 보여주었다. 알렉스는 자연과 일체가 된 듯하다. 바다의 신 같다. 우리는 알렉스의 인도를 따라 바닥을 짚으면서 옹송거린 자세로 대기를 했다. 마치 영화 감상을 하듯, 무대의 주인공을 기다리듯이, 그 때 거침없는 탄성과 함께 뿌연 연막 같은 기포 더미들이 연속으로 계속 올라왔다. 어떻게 된 영문인지 몰라서 당황스러워졌다. 아마도 무리 지어 온 그룹 관광객들이 시끄럽게 구는 모양이었다. 그 소요의 장막을 뚫고 멀리서 그림자들이 점점이 등장을 했다.

마음의 감탄사만 터져 나왔다. 만타 레이, 거대한 대왕 쥐 가오리들이 등장을 했다. 그것은 정말로 경이로운 장면이었다. 공간을 지배하는 마술사들이었다. 직접 보지 못한 사람들은 모를 것이다. 그들은 완전체였다. 거대하고 둥근 하나의 우주선이었다. 만타레이는 지구에 현존하는 가오리 중에서 가장 큰 어종이다. 그들이 무리를 지어 유영하는 모습은 마치 항공모함 편대 같았다. 우리는 바다의 파동인 것인지 만타 가오리들의 움직임에 의한 유속의 흐름인 것인지 모를 그 파고에 휩쓸리지 않으려고 바닥을 꼭 잡고 버텼다. 몸을 더 납작하게 붙여서 호흡을 고르며 그 아름답고도 장엄한 광경을 숨죽이고 바라보았다. 우리들은 마음의 탄성과 기쁨을 수신호로 까닥거리며 서로 신호를 주고받았다.

만타들은 인간에 대해 관심이 없었다. 이미 완전체인 그들이 우리에게 무슨 관심이 있겠는가? 그들은 서로 나선형을 그리며 유영을 하고 있었다. 아래와 내가 한 조를 이루고 있었고 아래의 오빠인 형식과 현석이가 한 조를 이루고 있었다. 만타는 가족으로 무리를 지은 것 같았다. 크게 세 무리로 나뉘어져 있었는데 가장 크고 점점이 뿌려진 무늬가 화사한 가오리가 무리를 이끌고 있는 우두머리 인 것 같았다. 그들이 입을 벌리고 유영하는 모습은 리듬을 타는 춤 과도 같았다. 자연의 위용은 대단했다.

시간 가는 줄 모르고 그들의 유선형의 춤을 보고 있었는데 순간 빠른 유속과 함께 밀리고 휩쓸려 멀리 포인트를 이탈해 버렸다. 몸의 중심을 잡고 다시 장소로 와 보니 아래가 보이지 않았다. 그리 먼 거리도 밀려난 것도 아니었고 다이버들이 모두 근처에 포진하고 있었기 때문에 나처럼 잠깐 조류에 떠 밀려난 것이라 생각했다. 그런데 시간이 꽤 흘러도 아래가 보이지 않았다. 알렉스와 형식, 현석만 있었다. 다른 다이버들과 같이 섞여 있는 것인가 했는데 어느덧 수면위로 상승해야 하는 시간이 되었다. 산소 탱크가 시간을 다하고 있었다. 당황해서 알렉스에게 수신호를 보냈다. 알렉스도 이미 상황을 인지하고 있는 듯했다. 우선 상승하라는 신호를 받았다. 모두들 상승하는 순서에 맞추어 올라갔는데 아무리 기다려도 아래가 나타나지 않았다. 마지막으로 알렉스가 한참을 더 있다 나타났다. 그 순간 등줄기에 소름이 돋았다. 아래의 종적을 찾을 수가 없었다. 호흡이 가빠졌다. 말도 안 나오고 현실감이 사라졌다. 이미 다른 배들은 떠났지만 수색은 계속되었다. 여러 샵의 다이버들이 되돌아와 연이어 근해를 샅샅이 뒤졌다. 그러나 아래의 종적을 찾을 수가 없었다. 뿌듯함과 기쁨으로 가득 찼던 여행이 순식간에 색을 잃었다. 현실감이 없어서 멍하니 바다만 바라보고 있었다. 그 순간 내가 바닷속에서 무엇인가에 홀렸던 것인가? 자괴감이 들었다. 아래의 오빠 형식이 한국으로 연락을 취하고 대사관으로 어디로 백방으로 찾기 위해 노력을 기울였지만 더 이상 아래의 흔적을 찾을 수 없었다.

바닷속 실종 _ 아래

만타 레이들이 유영하는 춤을 보고 있으니 어디선가 깊은 심박과도 같은 울림이 들려왔다. 그 춤은 심장을 두드리는 북소리 같은 파동에 맞추어 일정한 리듬의 군무를 이루고 있었다. 그 광경을 바라보고 있으니 여기가 바닷속인지 내가 다이빙 마스크를 착용하고 호흡을 하고 있는지조차 잊어버렸다. 물 속인데도 불구하고 그 만큼 편안하고 몽롱한 상태에 빠졌다.

만타 레이들이 그리는 춤은 따라오라고 손짓하는듯한 나선형의 몸짓이었다

부지불식간에 잠깐동안 의식이 끊긴 것도 같다. 하지만 그 어떤 고통이나 느낌도 없었다. 그냥 부드럽게 새로운 공간에 들어왔다. 그냥 알 수 있었다. 여기가 이전의 그곳이 아니라는 것을. 내가 오롯이 혼자라는 것을. 당황하거나 걱정하는 마음은 들지 않았다. 뜻밖에 평온과 자유가 찾아왔다. 명치가 시원한 느낌이 들었다. 그런데 나는 죽은 걸까? 그러면서도 오빠와 지수언니 생각이 났다.

어떻게 된 상황인지는 모르겠지만 그들이 나의 부재에 당황 할까봐 그 점만이 약간, 아주 약간 우려되었다.

그 때 상쾌한 숲 같은 내음이 내 코를 스쳤다. 바닷속에서 숲이라니…주변이 어두웠지만 어디선가 끊임없이 흘러나오는 향을 더듬어가며 바람이 불어오는 방향을 쫒아 천천히 움직였다. 발 걸음을 옮기며 더듬어 보니 주변이 온통 융단 같은 잔털로 가득 덮혀 있는 듯한 촉감이 느껴졌다. 끈적한 점액과 함께 매끄럽지만 부드럽고 푹신한 잎 같은 것들로 이루어진 더미들이 나를 스치고 있었다. 나는 소화되고 있는 건가, 누구의 뱃속인지도 모르겠다. 방금 전까지 만타 레이들의 환상적인 춤을 보고 너무나 좋아하고 있었는데, 뭔가 다른 큰 바다괴물이 나타나서 나를 삼킨 건가? 그럴지도 모르겠다 라는 합리적인 추

론이 들었다. 이런 생각이 합리적인 건가? 내가 나이긴 한 것인가? 갑자기 무언가 까마득하고 모호하면서 내가 내가 아닌듯한 기분이 들었다. 기억이 온통 희미해지는 듯했다. 그러나 나는 현재 아픔을 느끼지 않았고 의식은 명료하게 떠돌아다니고 있으니 이것이 꿈인지 현실인지 헷갈렸다.

그냥 몸을 움직이자. 나아가자. 그러자. 이러한 위급 상황에 움직이라고 했던 거 같았다.

그냥 바람이 불어오는 방향으로 전진을 시작했다. 내 손가락과 몸을 보고 싶었는데, 그것을 확인하면 이게 꿈인지, 내가 나인지 어떤 상황인지 확인을 할 수 있을 것 같았다. 모든 게 녹아내리는 거 같다.

현실의 섬_ 지수

시간은 계속 흐르고 있지만 아래의 흔적은 찾을 수가 없었다.

현석이는 한국에 구체적인 도움을 찾아보겠다면서 먼저 한국으로 돌아갔다. 나와 아래 오빠는 섬 중심 쪽으로 체류지를 옮겼다. 일말의 희망을 가지고 수색을 백방으로 거듭했다. 그러나 시간은 흐르고 아무런 소득이 없었다. 사람이 하루 아침에 이렇게 증발할 수도 있구나 하는 생각이 들었다. 사고를 당했으면 무엇인가 떠밀려 나왔을 텐데…. 이 곳에 여행을 오지만 않았더라도, 아니 다른 곳으로 갔었다면, 날짜만 달랐더라도 이런 일은 발생하지 않았을 텐데…후회를 거듭했지만 아무런 답을 찾을 수 없었다. 단지 목이 꽉 메이고 가슴과 턱 밑까지 굳어왔다. 나와 아래는 무언가 항상 연결되어 있는 느낌을 받아왔다. 이렇게 여기에서 아래가 사라졌다는 것이, 죽었다는 것이 믿기지 않았다. 난 인정할 수 없었다. 한달 후 한국에서 연락이 와서 아래 오빠도 짐을 수습해서 우선 돌아갔다. 하지만 나는 돌아 갈 수가 없었다. 아래는 죽지 않았다. 나는 알고 있었다. 아니 느끼고 있었다. 바다에 아래가 있는 듯한 느낌을 지울 수가 없었다. 나를 부르고 있었다.

섬이란 공간에서 계속 수색을 하다 보니 알렉스가 많은 도움을 주었다. 의지할 곳이 알렉스 밖에 없었다. 그는 다이빙 샵의 일로 바쁘지만 성의를 다해서 지속적으로 최선을 다해서 도와주고 있었다. 섬 사람들은 관광객들에게 따스한 미소를 보냈지만 사고가 터지고 나니 태도가 싸늘하게 변했다. 작게 라도 사고와 연관되는 것을 피하는 것 같았다. 무엇인지 모를 장벽이 있는 거 같았다. 그냥 문화적인 차이 인 걸까? 아니면 내가 예민한 것일까? 섬에서 체류가 길어지면서 시간이 지나갈수록 섬 마을 사람들과 대화가 없어져갔다. 마을 사람들은 나와 이야기를 피하고 꺼리는 듯한 기분이 들었다. 내가 이방인이어서 그런 것인가?

몇일 후 알렉스의 다이빙 샵 입구로 들어서는데 안에서 대화를 나누는 소리가 들렸다. 그 소리에 들어가려다 잠시 멈칫하여 서 있었다. 내가 이 섬을 언제 떠나는지, 알렉스에게 나를 이 곳에서 빨리 떠나게 하라는 마을 이장님의 요구였다. 사건이 더 확대되고 소문이 더 확

산되기 전에 마무리를 지으라는 요구였다. 하지만 왜? 이 섬에서 내가 있는 것이 무슨 문제가 있다는 말인가? 어느 덧 6개월이 훌쩍 지나고 있었다. 그런 얘기를 밖에서 듣고 있으니 나도 모르게 눈물이 뺨을 적시고 있었다. 하염없이 흐르고 있었다. 기척없이 돌아서서 산등성이 언덕으로 냅다 뛰어올라갔다. 숨이 차도록 오르다 보니 마을과 꽤 떨어진 한적한 곳으로 와 있었다. 숲을 헤치고 깊이깊이 전진했다. 작은 열대의 숲 같은 소로인데 이 숲을 지나면 동네 아이들이 자주 프리다이빙을 하면서 노는 장소가 있었다. 숲이 드문드문 계속 연결되다가 열대의 큰 야자수 잎이 차양 같이 가려주는 곳을 젖히고 나니 아이들이 자주 노는 그 곳에 도착했다. 물이 자수정 같은 신비로운 보라빛이다. 보라색 수정들이 물에 투영되어서 그런 물빛이다. 물 속의 깊은 곳이 자연 동굴과 연결되어 있는 신비로운 장소였다. 섬 아이들은 겁도 없고 아무런 장비도 없이 풍덩풍덩 잘도 입수를 하고 올라오는 것을 반복하고 있었다. 섬 아이들은 구릿빛 물고기들 같았다. 나는 털썩 주저 앉아서 한참동안 멍 하니 그 광경을 바라보고 있었다. 아이들의 새된 비명과 웃음소리, 풍덩거리는 소리, 나뭇잎을 스치는 바람소리가 같이 공간을 휘돌고 있었다. 해는 이렇게 쨍쨍하고 맑게 쏟아지고 너무나 아름다운 날씨인데 내 마음은 너무나 공허하구나. 눈물이 뺨을 타고 계속 흘러내렸다. 아래가 너무 보고싶다. 아래야 어디 있는 거니. 소리가 이명같이 아득하게 들렸다.

모두들 이제 희망이 없다고 했다. 나도 이제는 한국으로 돌아가야 하는 것일까? 섬 사람들에게서 고국으로 돌아가게 하라는 저런 말까지 건너 들으니 마음이 더욱 얼어붙는 것 같았다. 밤마다 아래를 본다. 꿈에서 본 아래는 매일 나를 그냥 쳐다보기만 한다. 나만의 착각인 것인지. 도무지 아래는 죽지 않았는데…나는 확신한다. 아래는 죽지 않았다.

그 때 내 생각을 깨는 새된 비명소리가 들렸다. 비명소리가 난 쪽을 바라보니 물 근처에서 아이들이 허겁지겁 나에게 달려오고 있었다.

"수! 수!! 빨리 와요!!" 여기 사람들은 나를 수라고 부른다. 아이들이 내 이름은 알고 있었구나.

어른들이 나와 말을 못 섞게 해서 원래 말도 잘 하지 않았었는데 무슨 일인지 다급하다.

급하게 부르는 아이를 쫒아 허겁지겁 물가 가까이 다가가니 작아 보이는 어린 아이가 다리와 팔이 다쳐 상처가 부풀어 오르고 있었다. 무엇인가에 상처를 입고 찔려서 중독이 된 상태였다. 다리 한 쪽이 두 배로 부풀어 오르고 있었다. 급하게 처치를 할 새는 없었으나 상처를 살피고 보니 잇자국을 발견했다. 독성이 있는 열대 해파리 같은 종류의 것에 물린 거 같았다. 바로 머리끈을 풀러서 바로 다리 부근을 둘러 묶고는 아이를 업고 뛰기 시작했다.

아이가 쳐지지 않도록 바로 고쳐 업으면서 다른 아이들과 함께 마을 어귀로 들어섰다. 마을 어귀에는 큰 회향나무가 있었고 주위를 호위하듯이 낮은 나무들이 둘레둘레 연결되어 낮은 담장으로 연결되어 있었다. 그것을 돌고 돌아서 아이들이 인도하는 골목으로 정신없이 뛰어 들어갔다. 그 곳에 나즈막 하지만 방대한 규모의 격자모양의 건물이 있었다. 건물은 특이하게 땅 밑으로 확장되어 있는 구조였다. 숲으로 가려져 밖에서는 보이지 않는 그런 스타일의 건물이었다. 엉겁결에 아이들과 함께 그쪽으로 뛰어들어갔다. 신선한 라임 향과 톡 쏘는 냄새가 동시에 후각을 자극했다. 어두운 구석으로 뛰어 들어가니 주름살이 가득한 아주머니가 나오셔서 손짓으로 가리켰다. 그 분을 지나쳐서 아이를 침대같이 생긴 중앙의 큰 둥근 자리에 아이를 눕혔다. 땀이 범벅이 되어 눈으로 흘러내려서 정신이 하나도 없었다. 향이 눈에 들어갔는지 눈까지 매워져 눈 앞이 깜깜해졌다. 옆으로 주저앉아 쓰러져서 한참 호흡을 고르고 나서야 정상으로 돌아왔다. 겨우 정신을 차리고 주변을 둘러보니 은은한 빛을 발하는 조명과 함께 향취가 느껴졌다. 약향인지 모를 특별하고 상쾌한 향과 약초들이 그득했다. 이 곳은 처음 와 보는 곳이었다. 옆에 있던 아가씨가 지금은 돌아가라고 하였다. 아이의 상태도 궁금하고 이 곳도 궁금하여 더 있고 싶었지만 아이의 처치가 우선 인 듯해서 인사를 하고 나왔다. 길을 몰라서 아까 나를 인도해 준 아이 중 한 명이 내 옆에 다가와 붙었다. 길잡이를 자청했다.

"도와주어서 고마워, 수. 나는 피타라고 해."

아이가 빙긋 웃으며 손을 내밀었다. 자기 소개를 먼저 했다. 항상 미소를 띄지만 물끄러미 바라보기만 하는 섬 사람들과의 소통에 지쳐 있었는데 아이의 인사가 내심 반가왔다.

피타는 스스럼없이 내 손을 잡고 나를 이끌었다. 맑은 눈과 구불거리는 금색머리가 인상적이었다.

꼬불꼬불한 회양목으로 연결된 골목을 지나서 미로같이 생긴 골목을 돌고 돌더니 어느 덧 바닷가근처 알렉스의 다이빙 샵에 도착하게 되었다. 앞으로 우리는 친구가 되기로 했다.

"사실 나는 수가 궁금했는데 어른들이 수랑 얘기하지 말랬어. 하하"
피타는 해맑게 웃었다. 얼굴의 주근깨가 사랑스럽게 빛났다.

"괜찮겠어? 나랑 친구해도? "

"괜찮아, 수! 수가 루를 구해 주었잖아. 아까 다친 동생이 루야. 그리고 아까 그 곳에도 갔었고."

"거기?"

내가 잘 못 알아들은 거 같았다. 무엇이라고 말했는데 잡음이 섞인 듯 명확치가 않았다. 여하튼 내가 루를 도와준 것을 계기로 피타와 친구가 되었다. 다친 아이의 상태도 알려주기로 하였다. 알렉스를 제외하고 편한 친구가 생긴 거 같아서 마음이 편안 해졌다.

알렉스의 다이빙 샵 앞에 도착한 나는 기진맥진해 있었다. 하루가 너무 길게 느껴졌다. 연기가 피어오르고 있었다. 장엄하고 환상적인 섬의 노을을 뒤로하고 바닷가에 바비큐가 준비되고 있었다. 알렉스가 다정하게 웃어주었다. 그는 항상 근사하다.

"어서 와, 수, 와서 같이 먹자. 저녁 안 먹었지? 종일 안 보여서 걱정했어."

배고픔을 못 느끼고 있었는데 연기와 함께 훅 올라오는 향취가 식욕을 자극했다. 아무 말없이 노을을 바라보면서 먹기만 했다. 아직 해결된 것은 아무것도 없었지만 그래도 이 순간은 만족스러웠다. 노을과 거기에 비친 알렉스의 눈동자를 보는 것이 좋았다. 붉은 노을이 알렉스의 잘생긴 얼굴에 깊은 음영을 드리웠다. 마치 두 얼굴의 아수라 백작 같았다. 그 때 알렉스가 나의 멍 때림을 …. 정적을 깼다.

"사실… 이번만이 아니야."

"? 응? 무슨 뜻이야?

"이번이 처음 있는 일이 아니라고."

"뭐가 처음이 아니란 거야?"

"아래처럼 실종이 된 게 처음이 아니라고…"

"뭐라고??자세히 좀 얘기해봐, 못 알아 듣겠어." 갑자기 기침이 나왔다.

"나는 여기까지 밖에 얘기 못 하겠어. 사실 아는 것도 별로 없어. 단지 안타까울 뿐이야. 네가 많이 슬퍼해서 나도 가슴이 많이 아프다. 여자 애들이 종 종 사라 졌어. 그게 다야. 찾을 수 없었고…"

"왜 이제서야 얘기하는 거지?"

"아무런 명확한 것이 없으니까…사람들은 그냥 갔거든. 그냥 바다에서 사라졌어. 아주 가끔씩…"

이제 노을이 사라져서 더 이상 그의 표정을 볼 수 없었다. 암흑이었다.

"마을에서는 네가 이제 포기하고 떠나기를 바래. 하지만 나는 네가 여기 머무는 것이 좋아. 하지만 더 이상 아래를 찾는 것은 포기하는 게 좋을 거 같아. 나는 이 곳 출신이 아니야. 하지만 비슷한 섬 출신이야. 너도 알다시피 다른 나라에서 왔지. 엄밀히 말해서 다른 섬이고. 이 섬도 예전부터 믿고 있는 얘기가 있어. 믿어지지 않지만 모두가 다들 알고 있는 이야기, 그 것을 알아봐."

"나는…. 나는… 뭐라고 말해야 할지 모르겠어…. 알렉스, 왜 처음부터 그런 예기를 안 해 주었지? 원망스러워. 좀 더 뭔가를 더 할 수 있지 않았을까? 아래는 그냥 친구가 아니야. 하지만…지금이라도 얘기해 주어서 고마워. "

"수, 이런 것은 이해할 수 있는 이야기가 아니야. 외지인에게 얘기할 수 있는 것들도 아니고…얘기를 해도 이해도 못할 거고…"

"그래…나도 알아, 그런데 그냥 너무 힘들고 막막해."

"섬 사람들은 자연에 대해서 그냥 받아들여, 원래 그래. 바다에 대해 그렇게 여긴다고. 어떤 일이 벌어지면, 특히 바다에서 벌어지는 상황들은 모든 게 자연에게로 되돌아가는 섭리이자 축복으로 여긴다고. 내가 해 줄 수 있는 얘기는 여기 까지야. 그리고 엘리오님을 찾아가. 이 곳의 어머니 같은 역할을 하는 분이셔, 의사이기도 하고."

노을 빛은 사라진지 오래였고 그 날은 별 빛도 없었다. 암흑같이 어두운 바닷가에서 작게 고맙다고 웅얼거렸다. 입으로 삼켰다.

아침부터 뜨거운 열대의 바람이 내 귓가를 스친다.

수평선에 아지랭이가 가물가물하게 피어오른다. 빛나는 바다가 하늘과 닿아서 하나로 연결된 것 같았다. 물 색이 맑은 하늘색이다. 미간을 모아서 더 멀리 보려고 해도 사방이 모두 같은 공간이다. 내 자신이 더 작게 느껴진다. 한숨이 나온다.

그 때 저 멀리서 피타가 손을 흔들면서 아이들을 몰고 나타났다. 구릿빛 피부에 눈하고 하얀 치아가 반짝인다. 그 웃음을 보니 나도 덩달아 가벼워지는 듯하다.

"좋은 아침이야, 수!!일찍부터 나왔네."

"안녕, 좋은 아침~."

"뭐하고 있었어? 오늘도 바다에 나갈 꺼야?"

"그냥 생각 중이었어. 오늘은 바다에 안 들어 갈 꺼야. 루는 어떻게 되었지?"

"아직 가보지는 않았는데 걱정 안 해도 돼. 엘리오 님에게 데려다 주었으니."

"엘리오 님?"

"응, 어제 "

그 말을 남기고 피타는 아이들과 달려가버렸다.

"기다려, 피타. 뭐 물어보고 싶어! 나도 같이 가"

덩달아 같이 달리면서 소리를 질렀다.

"따라와, 수! 지금 거기 갈 꺼야. 루 보러 가야지."

"오케이."

몰려가는 아이들을 쫒아 갔다. 다람쥐들처럼 잽싼 아이들은 요리조리 바닷길을 헤집으며 길을 텄다. 구불구불 바닷길 옆을 돌고 맹글로브 숲을 가로지르더니 어느새 덩치 좋은 회향나무가 있는 곳에 당도했다. 나무 입구부터 운무가 겹쳐 있는데 어디선가 특이한 약향이 훅 끼쳐왔다. 어지러움이 느껴지더니 갑자기 시야가 흐려졌다. 오늘은 날씨가 짱짱했는데 이 곳은 왜 이러지? 뭔가 진법이라도 설치되어 있나? 여하튼 기묘하다. 약의 효과인가? 그 순간 아이들은 거침없이 웃음소리와 함께 까무룩 하게 안개속으로 사라져버렸다.

"기다려!"

그 때 발치에 있는 무언가에 걸려서 넘어질 뻔했다. 아니 비틀거리다 무릎을 꿇었다.

"조심성이 없구나. 쯧쯧."

눈을 올려다보니 어느새 어제 마주친 할머니가 계셨다. 그런데 아주머니인지 할머니이신 지 구분이 묘했다. 주름은 가득한데 세속과 거리가 있는 듯 표연한 분위기가 풍겼다. 굉장한 미모에 꼿꼿한 자세와 위압적인 큰 키를 가지고 있었다.

'그런데 저 분이 어제 그 분인가? 어제는 분명히 작아 보였는데?'

"다 큰 애가 주변을 잘 살피고 조심성이 있어야지, 네가 그 주안초를 밟아서 죽일 뻔 했잖니."

"네? 네에...이건 돌, 돌 아닌가요? 뭔가 딱딱했어요. 죄송합니다. 하하, 안녕하세요. 어제 잠깐 뵈었었는데, 저는 안 지수라고 합니다. 한국에서 왔어요. 그냥 수라고 부르세요. 어제 다친 아이가 궁금해서 같이 왔어요. 애들은 어디 갔지?"

"어제 다친 아이를 잘 데리고 왔다."

기둥을 지나 그녀의 뒤를 따랐다. 안쪽 중앙에 반짝이는 그물로 짠 꼬치 같은 것이 대롱거리면서 매달려 있었다. 그물 침대인지 아니면 무엇을 보관한 것인가 했는데 그 안을 자세히 보니 아이가 들어 있었다. 반짝이는 거미 줄 더미 안으로 구름에 파묻히듯이 들어가 있었다. 아니, 저 상태로 괜찮은 건가?

"치료가 되고 있으니 걱정하지 말아라. "

"엘리오 님 이신가요? 한 가지 여쭈어 봐도 될까요?"

"그래, 나에 대해서 들었나 보구나. 무엇이 궁금하지?"

"같이 여행 온 친구가 바다에서 사라졌어요. 지금은 찾고 있는 중입니다. 무언가 도움이 필요해요."

"바다라면, 그 친구는 이미 죽은 거 아닐까? "

"아니요, 저는 아직 그 친구의 존재를 느끼고 있어요. 알렉스가 무언가 여기 오면 알 수 있을 꺼라고 했습니다."

그녀는 답 대신에 손가락으로 한 쪽을 가리켰다.

그 쪽으로 시선을 돌리자 벽에 새겨져 있는 벽화가 눈에 들어왔다. 건물의 벽화는 입체적인 벽의구조로 이루어져 몇 개의 패널이 중첩된 구조였다. 잔잔한 톤으로 오래된 세월의 흔적이 물씬 느껴졌다. 게다가 벽과 연결된 벽의 구별이 모호하게 묻혀 있어서 처음에는 눈에 들어오지 않았다. 그런데 그녀가 가리키자 갑자기 이미지가 떠오르듯이 생생하게 도드라졌다. 마치 생명을 얻은 듯이 마법의 힘을 얻은 듯이 음영이 떠오르며 형상이 도드라졌다. 가려진 초원과 바다 사이로 별자리 같은 반짝임이 명멸하였다. 기묘한 물고기와 만타 레이들, 고래와 거북이들이 바다인간들과 섞여서 춤을 추듯이 큰 나선형을 그리고 있었다. 그리고 공간의 지점과 좌표를 나타내는 듯한 바닷속 신전의 문과 기호들이 나열되어 있었다. 별자리인가? 신비롭기는 한데 이것을 어떻게 이해해야 하지?

"여기에 온 것은 다 이유가 있어서다. 네가 이 곳에 온 것도, 나를 만난 것도, 네 친구가 사라진 것도…모든 것은 시간을 넘어서 정해진 대로 이루어진다. "

"갑자기 무슨 말씀 이세요? 그래서 제 친구는 어디로 간 걸까요? 죽은 건가요? 흔적도 없이 사라졌다고요!"

"네가 인연이 있다면 친구를 만날 수 있을 것이다. 그러나 더 이상 내가 해 줄 수 있는 것은 없어."

"이 장소는 아무나 올 수 있는 곳이 아니다. 네 운명을 믿어 보렴. 자연의 섭리로 이루어질 것이다. 문이 열릴 때 또 다른 문은 닫힌다. 주안초도 아무나 볼 수 있는 게 아니야. 저것은 살아있는 것이라서 모습을 감춘다. 의지와 영혼이 있는 것 이란다."

"그리고 너는 나를 찾아왔지 않느냐…기회는 두 개의 얼굴을 가지고 있지. 보통의 인간들은 그것을 알아보지조차 못한다. 그나마 너는 그 얼굴의 흔적을 찾아왔구나. 어떤 얼굴과 대면할 것 이냐?

여기 이 주안초도 데려가라. 시간과 공간의 문을 열 때 그 아이가 결정할 것이다." 그녀는 그 말을 흘리고 사라졌다. 표연하게 사라졌다.

"시간과 공간의 문?? 무슨 소리야…"나는 그냥 신음만 흘렸다.

곰곰이 생각을 정리하고 마음을 다잡았다. 벽을 바라보니 좀 전의 생생한 움직임과 생명력은 사라지고 없었다. 그저 벽에 흔적이 묘한 돋을 그림이 도형과 좌표처럼 인식되는 글자로 겹쳐져 있었다.

'이게 답인가?'

주안초는 딱딱한 버섯모양의 뚜껑에 안에는 부드럽고 화려한 긴 잎파리들이 가득 달린 것이었다. 이것이 살아있고 영혼이 들어있다니? 무슨 소리야……--” 내게는 그냥 딱딱한 껍질을 가지고 있는 버섯종류 중 하나로 보였다. 그런데 그 뚜껑은 돌같이 딱딱했다. 못 보던 버섯이네. 희안하다. 아까 밟았는데 돌 같았잖아. 하나를 뽑아서 들고 나왔다. 어디선가 짧은 비명소리가 들린 듯도 했는데 귀 기울여 보니 아무런 변화도 없었고, 역시나 그냥 버섯이었다.

“왜 저렇게 의미심장하게 저러는 거야.”

그래도 그 버섯을 소중하게 품에 안고 돌아갔다.

바닷속 실종2 이 공간에서의 조우 _ 아래

갑자기 들어오는 빛에 눈이 부셨다. 빛으로 가득차서 눈을 뜰 수가 없었다. 처음 다이빙을 했던 순간, 처음 바닷속으로 입수할 때의 그런 느낌과 같았다. 입자가 꽉 찬 새로운 공간으로 들어가는 그런 것이었다. 아래로 향할 수록 빛들이 작고 빛나는 결정으로 빛을 발하고 있었다. 조각 하나하나가 에너지 그 자체다. 빛을 발하고 있었다. 그 안에서 나는 부대끼고 있어서 힘이 들었다. 어디로 가야 하나. 어디로 비집고 들어가야 할지 조금이라도 틈이 보였으면 했다. 에너지의 격차가 있는 흐름이 있어야 방향성을 가지고 어디 론가 향하는데 다 같이 비등한 힘을 내는 이 공간은 조금의 틈도 없어 버티기가 힘들었다. 그 순간 나를 잡아채어 끄집어 내는 강력한 힘이 있었다. 굉장한 흡입력으로 빨아들였다. 그와 동시에 눈이 마주쳤다. 그래, 눈이 딱 마주쳤다. 그 순간 나는 알았다. 그 형상을 시각의 형태가 아닌 전체를 그냥 인식했다. 설명을 못하겠다. 시각으로 하나하나 뜯어보는 그런 인식이 아니라 그냥 통째로 알았다. 동시에 입력이 되었다는 것이 정확한 표현일 것이다. 그것은 나였다. 또 다른 나이며 현재의 나, 동시성의 나였다. 또 다른 나는 나를 구출해 줄 나의 파편조각이며 나의 쌍둥이 자매이다. 그녀를 여기서 마주친 것이다. 그곳에서 빛을 발하는 모든 것들은 영혼의 조각들이었다. 어떻게 이런 일이 가능하지? 여기는 어디인 것인지. 영혼의 인큐베이터 공간인 것인가? 혼란스러웠다.

"내 자매여, 나의 상반된 모습이여, 내가 너를 불렀다.

네가 내 부름에 응하지 않았다면 너와 같이 온 친구가 대신 희생되었을 것이다. 너는 내가 부르는 소리를 들었을 것이다. 여기는 공간을 연결시켜주는 가능성의 문이기도 하다. 그 틈이 월식때마다 가끔씩 벌어져서 세계에 가능성의 문을 열어주지. 이것은 희생이 아니라 구원이다. 경계선이자 접점이기도 하지. 우리는 이 공간을 유지하는 에너지의 두 대척점이다. 너와 나는 하나이면서 동시에 둘이기도 해. 동전의 양면과도 같고 문의 앞면과 뒷면과도 같다. 너와 내가 같이 있을 때 이 세계의 문이 안정성을 가지고 유지가 되는 것이다. 우리는 다양한 이름으로 불리워졌다. 새벽별과 저녁별로 불리기도 했었고 치료자와 조력자로 알려지기도 했었다. 태양과 새벽을 의미하기도 하지. 황금 전

차를 타고 동쪽으로 돌아왔으며 매일아침 하늘로 태양을 되찾기 위하여 바다를 지나갔다. 태양과 새벽을 가리키기도 했다. 네가 여기로 돌아왔으니 더 이상 신과 처녀의 결합을 의미하는 희생은 필요 없어질 것이다. “

내가 이 곳으로 인도되어져 온 이유가 여기에 있었음을 알게 되었다. 나는 아래이고 그녀는 미래이다. 우리는 같으며 다른 인격을 의미했다. 여기서 하나가 되었다. 하나의 신체안에 두개의 인격이 자리하게 되었다. 그 증표로 마음을 나타내는 눈이 반사하는 각도에 따라 다른 빛을 띄게 되었다. 우리는 하나가 되었다. 완전해졌다. 그리고 나는 편안히 가라앉았다.

만남과 소환 _지수

알렉스가 곁에 있어서 너무 다행이다. 여기에서 의지가 되는 것은… 달이 뜬 밤에 웨이트를 달고 잠수를 준비하면서 허리에 주안초 버섯도 같이 달았다. 돌맹이 같아서 또 하나의 웨이트 같았다.

그런데 아까 부터 비슷한 곳을 빙빙 도는 느낌이다. 근처를 맴돌고 있는 것 같았다. 내가 확인한 포인트, 목적지는 분명히 여기 인 거 같은데 …목표에 집중하기로 했다. 더 이상의 잡념은 가지지 않기로 했다. 포인트가 잘 못 되었나? 순토(Sunto) 시계를 다시 한번 확인했다.

알렉스가 짚어준 포인트가 여기인데, 그 벽화에서 인지한 장소도 여기인 거 같고, 아직도 약간의 불안과 초조함이 엄습하고 있다. 처음 모두와 함께 입수했을 당시와 같은 상황과 조건이다. 단지 시차의 대척점을 찾아서 별자리를 찾아 여기로 왔다. 그러니 나도 아래를 찾을 수 있을까? 그 시간과 공간의 장이라는 문을 열 수 있지 않을까? 아래 와 만날 수 있을까?

'열려라 참깨'도 아니고… 어쩌면 무언가 방해하는 힘이 있는지도 모르겠다. 무슨 문이란 말인가… 두렵고 무섭지만 나 혼자 입수해 들어가야 한다고 했다. 그래도 나를 스스로 믿기로 했다.

나에게 그런 용기가 있을까? 무언가 이상한 게 있을지도 모른다. 내가 상상하지도 못할 어떤 것. 다시 한번 양 손을 꽉 쥐어 본다. 그리고 뛰어들었다. 미지의 운명을 향해서 오롯이 홀로 입수했다.

순조롭게 감압을 했다. 혼자라서 너무 급하게 하강하지 않으려고 마음속으로 숫자를 세었다. 오늘따라 바닷 속이 더욱 고요하다. 항상 입수하면 시끄러웠는데…갑자기 포말이 일어나기 시작했다. 여기는 조류의 흐름이 심상치 않은 곳인가? 아니면 해저지진은 아니겠지, 멀리서 그림자들이 보이더니 포말과 함께 만타 레이들이 나타났다. 그들과 뒤섞여 같이 유영하게 되었다. 기분이 좀 더 나아졌다. 이런 경험은 예상하지 못했는데. 그 무리에 휩 쌓여서 아래로 아래로 향하다 보니 석조로 이루어진 산호의 기둥 같은 것이 해저 절벽과 함께 나타났다. 갑자기 벽화의 이미지가 뇌리를 스쳤다. 산호들과 물고기들을 지나쳐

기둥같이 생긴 곳을 너머 들어가니 그 사이에 틈이 있었다. 달빛이 비추는 광선이 정렬되는 빛의 라인이 보였다. 달빛이 이 깊은 곳까지 들어오다니, 그리고 이 빛들은 다 무엇이지. 기포인지 에어포켓인지 희무끄레한 덩어리들이 내 곁을 유영하기 시작했다. 처음에는 해파리들인 줄 알았는데 달빛에 비쳐 보이는 것에는 여자 아이들의 모습이 보였다. 인어인가? 하지만 무섭거나 그런 위화감은 없었고 나를 반기는 평안함이 있었다. 그것들에 둘러쌓여 빛의 라인으로 흔적을 쫒아가 보니 그 끝에 아래가 있었다. 그토록 찾던 아래가 잠을 자듯이 누워 있었다. 사라진 그 날 그대로 있었다.

'죽은 건가? 죽은 것은 아니겠지?' 갑자기 호흡이 가빠졌다. 내가 지금 다이빙 중이란 것을 잃어버리지 말자. 나는 조심스럽게 다가갔다.

'환상은 아니겠지?'

그 때 허리춤에 매달아 놓았던 돌맹이 버섯이 꿈틀거렸다.

'이거 왜 이래? 진짜 살아있는 거야? '

나는 소스라치게 놀라서 그것을 나에게서 떼 내어 버렸다. 그러자 그 버섯이 너풀거리면서 무한확장을 시작했다. 딱딱한 버섯 모자를 중심으로 거대한 장막을 이루는 확장된 오로라 빛으로 환상적인 모습이 되었다. 그것이 너풀거리더니 아래를 감싸 안았다.

빛 때문인지 너울 같은 버섯의 촉수 같은 것에 가려져서 인지 아래에게 가까이 다가갈 수가 없었다. 빛이 스파크 같은 더욱 환한 것으로 치환이 되는 듯하였다. 그 때 나는 잠깐 정신을 잃은 거 같다. 아니면 나도 같이 빛으로 속한 것 같았다. 그 때 주안초 촉수의 너울 사이로 아래의 눈이 번쩍 떠졌다. 두 눈동자의 색이 다르게 반짝였다. 나와 눈이 마주쳤다. 얼싸안았다.

차원과 시간의 문을 연 것인가? 그 틈새를 살짝 엿 본거 같았다.

우리는 달빛 아래서 같이 상승을 시작했다.

현실복귀_9개월 후

나는 나무가 무성한 대학교 교정에서 아래와 만나기로 약속을 했다. 계절이 바뀌고 있었다.

이렇게 예전과 같이 아래와 학교에 다니게 되다니... 이 현실이 믿기지가 않는다.

"아래야!"

"응~, 언니."

"나는 너랑 지금 같이 있어서 너무 좋다!"

"나도 그래, ^^"

나를 향해 돌아보는 아래의 두 눈이 각 각 다른 빛으로 빛났다. 빛에 반사되어서 일시적인 착시현상인가? 내 마음 속의 무언가가 의아해했다. 그리고 아래는 더 이뻐졌다. 아니 아름다워졌다. 예전의 아이 같은 매력은 사라지고 더욱 성숙한 여신 같은 여성이 된 거 같다. 더욱 신비로와 졌다. 음, 친구가 신비로와 졌다는게 맞는 표현일까? 하지만 아래를 볼 때 예전과는 다른 미묘한 눈동자의 색과 이질적인 느낌이 드는 것은 어쩔 수가 없었다. 예전의 아래와는 무언가 조금씩 다른 면이 보이기도 했다. 더 이상 해맑지만은 않았다.

우리는 아무 일 없었던 것처럼 한국으로 돌아왔다. 암묵적인 것처럼 더 이상 그곳에 대한 얘기를 하지 않았다. 그리고 아무도 그 사건에 대해서 묻지 않았다. 그게 더 이상하다. 모두들 단체로 기억상실에 걸린 것일까? 아니면 누군가 그 기억을 그 구간만 지운 것일까? 개인적으로 아래가 돌아와서 나는 더 이상 묻고 싶지 않았다. 그 약간의 균열, 그 이상함에 더 이상 의문을 표하지 않기로 했다. 의문을 제기하면 다시 아래가 사라져버릴 것 같았다. 나는 혼자가 되고 싶지 않다.

예전의 아래도 지금의 아래도 모두 아래이다.

삶의 미로를 뚫고 나아가면 영적인 가치를 접하게 된다.

단테의 신곡

블랙홀이 나를 삼켜버렸어

추슬기

추슬기

하루하루가 미세한 소용돌이 같았다. 내일은 또 어떤 것이 날 흔들고 휩쓸어 놓을까? 거대한 바람에 헝클어진 머리카락, 이곳저곳 상처투성이가 된 좀비 같은 한 몸뚱어리가 단숨에 블랙홀에게 꿀꺽 잡아먹히고 말았다.

email: churrost0@gmail.com

나와 같이 들어온 동기들은 찬밥 신세였다. 문서에 작은 오타라도 있으면 불려 가서 종종 혼났다. 오늘은 공문서 제일 마지막 장 마지막 문장에 마침표를 찍지 않았던 것이 문제였다.

'oo 사업 기획안입니다'

팀원 한 명이 이러한 작은 실수가 있었는데 그걸 본 부장님은 문서에 대한 기초가 없다며, 종이 한 장이라도 한 글자 한 글자 검토해야 한다며 다른 부서에서도 다 들릴 만큼 혼이 났다. 이미 몇 명은 더 큰 일이라도 날까 봐 전전긍긍했다. 모두의 숨을 옥죌 만큼 한 시간씩이나 혼나고 울음이 터진 동기는 옥상으로 올라갔다. 우리는 다른 동기들과 함께 그 동기를 다독여 줬고, 심지어 상사도 옥상에 올라와 다독였다. 이런 일이 한두 번이 아니었고, 나를 제외한 다른 동기들이 이런 일을 겪으니, 부장님에 대한 뒷말이 안 나올 수가 없었다. 동기들과 같이 밥을 먹을 때마다 부장님에 대한 얘기가 나오는데 매일 똑같은 뒷담화였다.

"아니, 오늘은 내가 이거 하나 오타 때문에 불려 가서 똑같은 말을 세 번이나 들었다니까요?"

"어떻게 사람이 그렇게 악마일 수가 있지, 자존감이 바닥 되겠어요."

매일 똑같은 말들, 나는 전혀 동조하지 않았다. 동조하고 싶지도, 할 이유도 없었기 때문이다. 자현사원이 그런 나를 빤히 쳐다보며 말했다.

"안 그래요, 다미사원님?"

나는 대충 둘러대야 했다.

"전에 부장님이랑 같이 일하고 있을 때, 잠시 얘기 나눴었는데 그때 저희 다 칭찬해 주셨어요. 너무 그렇게 생각하지 마요."

이 말을 들은 그 자현사원은 콧방귀를 뀌며 화를 내고 반박했다.

"아니, 뒤에서 칭찬하면 뭐 해, 앞에서는 일 못 한다고 소리 지르고 힘들게 하는데."

좀 짜증이 났다. 자현사원의 행동도 조금은 이상하다는 생각이 들었다.

'왜 갑자기 나한테 안 그러냐고 물어보지? 화는 왜 나한테 내는 거야.'

평소에도 자현사원이 나를 시샘하는 행동과 말투가 보여서 사람 자체를 무시하고 싶었다. 하지만 나의 모두와 잘 지내고 싶은 성격 때문에 그러지 못해 주변에 있는 사람이 나를 더 답답해했다.

옆에 있던 동기들도 다 맞장구친다. 대화는 항상 이렇게 뒷담화로 시작해서 뒷담화로 끝이 난다. 나는 몇 개월이 지나도 그 뒷담화에 동조하지 않고 참여하지 않았다. 나의 사촌오빠와 친분이 있는 관계이기도 하고, 나에게 직접적인 피해는 결국 없기 때문이다. 더 중요한 건, 부장님을 욕하고 싶지 않았다.

그저 휴대전화를 보거나 다른 주제로 넘어가게끔 유도하는 게 나의 일이었다. 나의 즐거운 점심시간에 기분이 좋지 않은 시간으로 만들고 싶지 않아 나는 조금씩 동기들과의 점심시간을 피하게 되었다. 늘상 변명을 대며 빠져나가기에 급급했다. 내가 대체 왜 이런 변명을 해야 하는 거지?

제발 나 좀 내버려둬!

*

나는 많고 많은 부서 중에 딱 마침 그 부장님과 같은 부서로 입사하게 되어 반가웠다. 그렇지만 나와 부장님은 서로 반가운 내색 하나 하지 않았다. 아니, 하지 못했다. 낙하산이라는 둥 꼬리표 같은 안 좋은 말이 나올 수도 있기 때문에 서로 조심하려고 했다. 반갑고 기쁜 마음을 안고 자신 있고 당당한 모습으로 부서 전체를 돌아다니며 큰 소리로 인사했다. 그렇게 나의 꿈을 한 발짝씩 이룰 수 있는 하루가 시작됐다.

정식 출근 날, 업무분장이 이루어졌다. 다들 대리, 과장이라는 중간 사수와 함께 업무분장이 이루어졌지만, 나는 중간 사수 없이 오로지 부장님과 둘만 같이 일하게 되었다. 상당히 부담스러웠다. 중간보고자 없이 바로 부장님께 검토받고 확인까지 받아야 한다니. 떨리기도 하고 걱정스러운 마음이 가득했다. 하지만 나는 부장님을 실망하게 해드리고 싶지 않았다. 부장님은 나에게 종이 한 장 던져주시며 말씀하셨다.

"이것처럼 너 방식대로 한 번 작업해 봐."

그 종이 한 장에는 마케팅과 관련된 내용은 전혀 없었다. 오직 엑셀로 함수를 계산해 놓은 듯한 숫자뿐이었다. 대제목에는 '예산 및 집행률'이라고 적혀있었다. 갑자기 눈앞이 아득해지기 시작했다. 지원 분야는 마케팅 업무인데 정작 해야 하는 업무는 예산관리라니 너무 뜬금없지 않은가? 이런 생각할 시간이 없다. 나는 혼자 머리를 감싸 쥔 채

이 숫자들이 어떻게 계산이 된 건지 분석하기 시작했다. 한두 시간이 지났을까, 속은 매스껍고 머릿속이 화산처럼 터질 것만 같았다. 다른 사람에게 물어보기에는 전화 받으랴, 사수에게 인수·인계 받으랴 정신없어 보였다. 나 혼자 계속 붙들고 있다간 일을 아예 못 끝낼 것 같아서 결국 부장님께 일의 방향성에 대해 여쭈었다. 부장님은 나에게 왜 이제야 물어보냐고, 다른 팀원들이 업무에 대해 70% 정도 숙지하고 있을 때 너는 뭐했냐며 타박하셨다. 그 소리에 눈앞이 뜨거워지고 깜깜해졌다. 사촌오빠와 부장님의 친분이 있다는 관계를 떠나서, 업무 질문은 처음이라 상세하게 알려주실 줄 알았던 나의 기대하곤 다르게 무척 차가웠다. 나는 그대로 얼어버렸고 어깨는 축 늘어지고 고개를 푹 숙였다. 그때, 부장님께서 아차 싶으셨는지 잔소리를 하려고 한 게 아니라며 일을 어떻게 하면 되는지 전개만 알려주시고 다독여 주셨다.

다른 부서에 가서 일을 가르쳐 달라고 커피 한 잔과 함께 부탁을 드렸고 그 자리에서 한 시간 반 동안 알려주신 덕분에 업무의 틀은 어느 정도 잡을 수 있었다. 부장님이 원하시는 방향에 맞춰 약간 수정해서 확인받으러 갔다. 그제야 나는 부장님의 꾸중이 아닌 '괜찮네!'라는 말을 듣게 되었다. 부장님께서 조금 더 수정하면 좋을 부분을 체크해 주셨고 수정이 다 되면 부서 팀원에게 이 문서를 공유하라고 말씀하셨다. 나는 부장님의 말씀을 듣고 자리로 돌아와서야 한숨을 돌릴 수 있었다. 하지만 며칠이 지나도 업무는 손에 익지 않아 업무를 완성하려면 몇 시간은 걸렸고 다른 팀원보다 더 많은 것을 알아야 했다. 그래서 나는 예산 관리에 대해 알아보겠다고 주말에도 일하러 나오곤 했다. 당장 해야 할 일에 대해 알아보며 손에 익히려 몇 번을 눈을 굴렸고, 업무 매뉴얼을 만들기 시작했다. 또 내가 맡은 업무를 하나부터 열까지 순서대로 나열하여 정리하기 시작했고, 하나의 문서로 만들었다. 급하게 문서 하나를 찾을 때 유용하고 빠르게 찾을 수 있게 말이다. 민원 들어올 때 내가 정리해 놓은 파일들을 보며 세세히 체크해 가는 모습과 열심히 하려는 모습으로 인해 나는 부장님께 조금씩 인정받기 시작했다.

점심을 다 먹고 부장님과 상사들이 함께 옥상으로 향했다. 부장이 담뱃불을 붙이려는 찰나 한 과장이 물었다.

"부장님은 다미만 왜 그리 이뻐하세요?"

의아함 속에 장난기가 가득한 질문이었다.

"야, 네가 다미만큼 해 봐라. 다미처럼 열심히 하면 내가 예뻐해 줄게."

부장은 그 과장의 질문에 흠칫 놀란 듯하지만 금세 차분히 다미 행동에 주목하며 대처했다. 그 대화를 듣고 있는 주변 상사들도 부장의 말에 공감한다는 듯 더 이상 어떤 것도 묻지 않았다.

주연 사원은 당장 처리해야 할 일들이 있어서 야근했다. 그때 늦게까지 남아 일을 하고 있어서 그런지 부장님께서 야근하는 사람들에게 저녁을 사주신다고 하셨다. 나는 저녁에 볼 일이 있어 먼저 퇴근했고, 야근하고 있는 사람들끼리 회식을 하러 갔다.

"다미는 야망이 있어, 여기 있을 사람이 아니야."

부장님은 나에 대한 칭찬을 해주셨다고 한다. 아마 내가 학교와 회사를 병행하고 있어서 그런 말씀을 하신 거 아닐까 싶다. '직접 칭찬을 해주셨다면 더 좋았을 텐데.'라는 아쉬움과 함께 '그래도 뒤에서 지지는 하고 있구나.'라는 생각이 들었다. 그런 좋은 얘기들이 내 열정에 버프가 되었고 더 최선을 다해 업무 처리를 했다.

*

회사에서는 아이디어 공모전을 열었다. 현재 진행하고 있는 사업이 활성화되려면 어떤 방법을 시행해야 하는지 아이디어를 발표하는 공모전이었다. 나는 그 공모전을 보고 우리 팀에 우수 사원으로 뽑히고 싶어 그 대회에 참가하고 싶었다. 하지만 이 대회에 대한 전반적인 지식이 별로 없어서 어떻게 대회 준비를 해야 할지 고민이 되었다. 아무리 생각해도 아이디어는커녕 잡생각밖에 들지 않았다. 회사가 아주 바쁘지만 그래도 나는 부장님께 도움을 받고 싶었다. 퇴근 시간에 맞춰 부장님께 조심스레 다가가 여쭈었다.

"부장님, 혹시 바쁘세요……? 저 대회에 참가하려고 하는데 자문 좀 구해도 될까요?"

부장님은 조용히 고개만 끄덕이셨다. 항상 차갑고 무뚝뚝한 성격으로 당연히 거절당할 줄 알았던 내 생각 의외로 기꺼이 부탁을 들어주셔서 꿈을 꾸는 것만 같았다. 부장님은 의자 갖고 오라고 하시면서 대회의 개념과 지침부터 차근차근 세세히 알아봐 주셨고, 이 주제와 맞는 아이디어 예시를 몇 가지 들어주셨다. 어떻게 참여해야 하는지, 어떻게 해야 상을 받을 수 있는지 퇴근 시간 후나 점심 먹고 난 후나 업무시간 도중에 부장님 책상 옆에 나를 앉혀두고 설명해 주셨다. 그때부터 내가 생각한 엄한 성격의 부장님이 아닌, 아빠 같은 친근하고 자상한 성격의 부장님이 보였다. 내가 대회 준비하는 것을 정택 과장님도 알게 되었는지 이런 말씀을 하셨다.

"대회 준비하고 있다며? 도움 필요하면 언제든지 말해."

'부장님 말고도 곁에 응원하고 있는 사람들이 꽤 있구나.'라는 생각을 하며 안심이 됐고 대회 준비도 잘할 수 있을 것만 같은 자신감이 생겼다.

결국 나는 그 대회에 좋은 성적을 받을 수 있었다. 그 후로 부장님은 나에게 다른 팀원에 비해 가장 크고 최신인 모니터와 결재판을 빌려주셨다. 허리 받침대부터 보온병, 작은 만년필, 책 등 선물해 주셨다. 지나가다가 나의 일에 대한 관심을 가지며 커피 한 잔을 주시곤 어깨를 톡톡 다독였다. 이렇게 인정을 받으니 회사 생활이 즐거워지기 시작했다.

반대로 나와 같이 들어온 동기들은 찬밥 신세였다. 문서에 작은 오타라도 있으면 불려 가서 종종 혼났다. 오늘은 공문서 제일 마지막 장, 마지막 문장에 마침표를 찍지 않았던 것이 문제였다.

'oo 사업 기획안입니다'

팀원 한 명이 이러한 작은 실수가 있었는데 그걸 본 부장님은 문서에 대한 기초가 없다며, 종이 한 장이라도 한 글자 한 글자 검토해야 한다며 다른 부서에서도 다 들릴 만큼 혼이 났다. 이미 몇 명은 더 큰 일이라도 날까 봐 전전긍긍했다. 모두의 숨을 옥죌 만큼 한 시간씩이나 혼나고 울음이 터진 동기는 옥상으로 올라갔다. 우리는 다른 동기들과 함께 그 동기를 다독여 줬고, 심지어 상사도 옥상에 올라와 다독였다. 이런 일이 한두 번이 아니었고, 나를 제외한 다른 동기들이 이런 일을 겪으니, 부장님에 대한 뒷말이 안 나올 수가 없었다. 동기들과 같이 밥을 먹을 때마다 부장님에 대한 얘기가 나오는데 매일 똑같은 뒷담화였다.

"아니, 오늘은 내가 이거 하나 오타 때문에 불려 가서 똑같은 말을 세 번이나 들었다니까요?"

"어떻게 사람이 그렇게 악마일 수가 있지, 자존감이 바닥 되겠어요."

매일 똑같은 말들, 나는 전혀 동조하지 않았다. 동조하고 싶지도, 할 이유도 없었기 때문이다. 자현사원이 그런 나를 빤히 쳐다보며 말했다.

“안 그래요, 다미사원님?”

나는 대충 둘러대야 했다.

“전에 부장님이랑 같이 일하고 있을 때, 잠시 얘기 나눴었는데 그때 저희 다 칭찬해 주셨어요. 너무 그렇게 생각하지 마요.”

이 말을 들은 그 자현사원은 콧방귀를 뀌며 화를 내고 반박했다.

“아니, 뒤에서 칭찬하면 뭐 해, 앞에서는 일 못 한다고 소리 지르고 힘들게 하는데.”

좀 짜증이 났다. 자현사원의 행동도 조금은 이상하다는 생각이 들었다.

‘왜 갑자기 나한테 안 그러냐고 물어보지? 화는 왜 나한테 내는 거야.’

평소에도 자현사원이 나를 시샘하는 행동과 말투가 보여서 사람 자체를 무시하고 싶었다. 하지만 나의 모두와 잘 지내고 싶은 성격 때문에 그러지 못해 주변에 있는 사람이 나를 더 답답해했다.

옆에 있던 동기들도 다 맞장구친다. 대화는 항상 이렇게 뒷담화로 시작해서 뒷담화로 끝이 난다. 나는 몇 개월이 지나도 그 뒷담화에 동조하지 않고 참여하지 않았다. 나의 사촌오빠와 친분이 있는 관계이기도 하고, 나에게 직접적인 피해는 결국 없기 때문이다. 더 중요한 건,

부장님을 욕하고 싶지 않았다. 그저 휴대전화를 보거나 다른 주제로 넘어가게끔 유도하는 게 나의 일이었다. 나의 즐거운 점심시간에 기분이 좋지 않은 시간으로 만들고 싶지 않아 나는 조금씩 동기들과의 점심시간을 피하게 되었다. 늘상 변명을 대며 빠져나가기에 급급했다. 내가 대체 왜 이런 변명을 해야 하는 거지?

제발 나 좀 내버려둬!

*

연말을 맞이해서 동기들이 다 같이 해산물을 먹으러 가자고 했다. 다 같이 퇴근하고 바로 회식을 즐기기 위해 급한 업무를 미리미리 해결해 두었다. 사실 회식 자리에 별로 가고 싶지 않았다. '또 자현 사원이 나에게 해코지하면 어떡하지?'하는 불안감이 항상 마음속에 자리잡고 있어서 어떻게든 같이 있는 자리를 최대한 피하고 싶었다. 식당에 가서 술이 조금씩 들어가고 나니 또 상사 뒷담화가 시작되었다. 역시나 상사 뒷담화가 시작되고 나서 조용했던 자현사원이 말이 많아지기 시작했다. 부장님에 대한 얘기가 나오니까 갑자기 나를 가리켰다.

"근데 부장님이 다미 사원님만 예뻐해 주시는 것 같아요, 안 혼나봤죠? 다미님한테는 소리 안 지르잖아요."

왁자지껄한 회식 분위기가 그 말로 인해 갑자기 싸해졌다. 몇몇 동기들은 '그렇지' 하며 동조하고 있었다.

나는 더 이상 안 되겠다 싶어 입을 열었다.

“저도 부장님이랑 같이 일하면서 많이 혼났어요. 운 거 본 적 있으시면서 그런 말씀 하세요.”

예전에 업무가 잘 안 풀려 부장님께 도움 청하러 갔다가 되레 혼나서 눈물이 글썽였던 적이 있었다. 그걸 직접 본 사람이 그런 얘기를 굳이 이 회식 자리에서 태클을 건다는 게 짜증도 나고 화가 났다. 나는 이런 직설적이고 공격적인 사람을 처음 대하는 거라 어떻게 대해야 할지 몰랐다. 사실 모르는 게 아니라 계속 얼굴 보고 일을 같이할 사람이었기 때문에 트러블 생기기 싫어서 그저 소극적인 약간의 방어 태세만 했다.

그렇게 회식 자리가 끝나고 집에 가고 있는데 속이 참 답답하고 우울했다. 씁쓸하고 침울한 마음으로 버스에 올라타 집을 향해 가고 있는 도중에 캐나다에 유학 가 있는 내 절친에게 영상통화가 걸려 왔다.

“요, 잘 지냈냐?”

“말도 마. 나 진짜 모든 다 때려치우고 싶어.”

“왜, 걔가 또 괴롭혀? 야, 데려와. 싹 다 없애줄게.”

“하하, 됐어. 너는 어떻게 지내? 얼굴이 활짝 폈네.”

“야. 여기 너무 좋아. 모르는 사람한테도 지나가다가 눈 마주치면 웃어주는 거 있지? 아참, 너도 학생 때는 해외 기업에 가고 싶다고 그랬잖아.”

맞다. 마케팅과 IT를 할 줄 알면 해외에서 그렇게 우대해 준다던데 생각지도 못하고 있었다. 하지만 해외에 가서 IT 기업에 입사해 억만장자가 될 거라는 꿈은 여전히 내 마음속에 차지하고 있다.

'언젠간 내 꿈 이루겠지? 그냥 여기서 벌어지는 일들 다 쳐내고 해외로 떠나고 싶다.'

며칠 후, 회사 자체에서 진행하는 작은 행사가 있었다. 각 팀의 우수 팀원 한 명을 지정해 추천하는 행사가 있었는데, 그 행사에서 내가 박탈되었다. 그 이유는 모범적인 성품과 열정적인 모습으로 업무를 대하기 때문에 우수 팀원으로 뽑히고, 표창장도 받았다. 이 광경을 지켜본 자현 사원은 그 자리에서 벌떡 일어나 화가 나 있는 뒷모습으로 문을 팍 치고 나갔다.

점심시간이 돌아와, 자현사원은 나에게 의아하단 말투로 물었다.

"그 우수 팀원 어떻게 뽑힌 거예요? 어떻게 한 거예요? 부장님이 뽑아주신 건가?" 내가 입을 열려는 순간 그가 말을 이었다.

"내가 할 일이 얼마나 많은데 나는 왜 아무것도 없고, 툭 하면 소리지르고... 무슨 기준으로 뽑은 거지?" 하며 자기 머리카락을 잡아 뜯으며 분에 가득 차 있는 걸음으로 테이블 주변을 어슬렁거렸다. 그는 "아니, 왜?", "왜지?", "나는?"이라는 혼잣말을 몇 마디 내뱉었다. 나는 분명 그 말을 똑똑히 들었지만, 굳이 상대하려 들지 않았다. 그에 대한 변명이나 이유를 댈 이유도 없고 얘기를 한다고 해도 알아봐 줄 사람도 아닐뿐더러 애초에 그 사람이 나를 그리 좋아하지 않기 때문이다.

그는 이미 화가 많이 난 상황이었고 내가 무슨 말 한마디라도 한순간 더 폭발해 버릴 것 같았다. 하지만 나는 그가 나를 왜 이리 갉아먹는지 도저히 이해되지 않았다. 공평하게 내가 다른 팀원보다 야근과 주말 근무를 더 많이 했고, 대회에도 참가해 좋은 성적을 거두었을뿐더러, 우수 팀원으로 뽑힌 이유인 열정적인 모습으로 업무를 대한 것도 맞다고 생각했기 때문이다. 가슴 속 깊이 불이 활활 타고 있었다. 억울해서 마음이 저릿하기도 하고 아무 소리 하지 않고 이 광경을 지켜만 보고 있어야 하는 상황도 답답했다. 하지만 나는 이게 최선이라고 생각했다.

그는 체념한 듯 의자에 앉아 한숨을 크게 내쉬고 구시렁거리면서 밥을 먹었다. 나는 이러한 자리가 지긋지긋해서 밥을 먹을 때 단 한마디도 하지 않고 휴대전화만 바라보았다. 그 사람 눈에는 덤덤해 보였겠지만 사실 나는 내 속이 타들어 갔다. 그 우수 팀원으로 추천받았다고 했을 땐 보람차고 기분이 황홀할 만큼 좋았는데, 이걸 내 앞에서 계속 태클거는 걸 보니 뒤에서는 얼마나 더 내 욕을 할까? 싶었다. 손이 덜덜 떨리고 두려웠다.

점심을 다 먹고 할 일 있다고 핑계를 대며 먼저 일어섰다. 사무실에 들어가려고 엘리베이터를 탄 순간, 같은 부서 민우과장님이 계셨다. 과장님이 우수 팀원 된 거 축하한다며 커피 사주겠다고 카페에 들어갔다.

"이번에 우수 팀원 됐지? 축하해."

"감사합니다, 하하."

"다미가 열심히 하고 욕심이 많은 건 알겠는데…… 적당히 해."

"야근이요?"

"야근도 그렇고 주말에 한두 번 나오는 건 그럴 수 있는데 너무 과해."

과장님은 웃으면서 적당히 하라고 말씀해 주셨다. 이 과장님은 내가 대회 참여할 때 응원해 주시고, 업무에 어려움이 있을 때도 도움을 주셨었고, 가끔가다가 커피도 사주셨던 고마운 분이다. 그래서 이 분께는 내 힘듦을 조금은 얘기해도 괜찮을 것 같다는 생각이 들어 속에 있는 응알이를 풀기 시작했다.

"회사 다니면서 가장 서러운 게 뭔지 아세요? 다른 사람이 제가 업무량이 적다고 무시하는 거예요."

"여기에 업무량 없는 사람은 없어."

"없죠, 없는 거 아는데 그렇게 말하는 사람은 자기 업무량이 가장 많다고 생각하니까 다른 사람은 없다고 보는거죠. 저는 무시당하고 싶지 않았어요. 그래서 남들보다 더 열심히 해야 했어요."

"나는 사원들 지금 다 잘하고 있다고 생각하는데? 그리고 다미 처음에는 어리바리하더니 요즘에는 잘하더라."

그때 부장님이 찾는다는 전화가 와서 대화를 마치고 엘리베이터를 타고 사무실로 향했다. 과장님이 입을 열었다.

"네가 모두에게 인정받고 싶고 열심히 하려고 하는 건 아는데 모두에게 인정받을 수는 없어. 너를 인정해 주는 사람한테만 인정받으면 돼. 시기 질투를 받아도…….”

‘시기 질투‘라는 단어 하나에 나와 자현 사원의 분위기를 어느 정도 아시는 건가?라는 생각이 스쳤다. 나는 이 과장님께 한 번도 말씀드린 적이 없는데 이런 분위기가 느껴지는구나 싶었다. 그래도 약간의 위로를 받은 느낌이었다. 씁쓸하고 억울한 내 기분이 조금은 가라앉는 것 같았다.

퇴근 후, 나랑 제일 친한 주연사원에게 전화가 왔다. 우수 팀원 된 거 다시 한번 축하한다는 말을 전했다. 그리고 자현사원이 나에 대한 안 좋은 얘기를 했다며 화가 많이 난 상태였다고 전달해 주었다.

‘역시 뒤에서도 그렇게 얘기할 줄 알았어.’라는 생각과 함께 의심스러운 생각 또한 들었다.

‘나중에는 뒤에서 내 얘기도 전달하는 거 아니야?’

나는 한 명도 믿기가 어려웠고 여기서 누군가와 친하게 지내는 건 아닌 것 같다는 생각이 들어 일만 하자라는 생각을 갖게 되었다. 일하면서 작은 수다를 떨 때도 일 많은 것처럼 행동하기 시작했고, 메신저나 연락도 업무적인 얘기만 하려고 했다. 퇴근 시간에도 같이 퇴근하기 싫어서 친구와 전화하면서 가거나 급한 약속이 있다고 둘러대며 회사에서 뛰쳐나왔다. 그러다 보니 자연스럽게 나를 제외한 무리가 형성되었고, 나는 주로 혼자 다닐 수밖에 없었다. 그래도 나는 외롭지 않았다. 그저 회사에서 일만 열심히 하면 된다고 생각했다. 상사에게 인정받는 게 그 외로움을 채워줄 거라고 생각했다.

다음 날, 아침부터 자현사원과 정택과장님이 회의실에 들어가 있었다. 한 한시간가량 얘기했을까, 회의실에서 나오더니 과장님이 나를 불렀다.

"다미, 요즘 일 어때? 잘 돼가?"

"네. 근데 아직 일이 손에 안 익었는지 어렵네요."

"그래? 근데 내가 보기에는 네 일이 그렇게 힘든 건 아닌 것 같아. 오히려 다른 사람들 업무가 더 많지. 주연이, 자현이 업무 얼마나 되는지 봐봐, 다미야. 이런 말 하기는 미안하지만, 진짜 미안하지만, 너는 하는 게 없어."

또 업무량 타령이었다. 상사한테까지 이런 말을 들으니까 정말 내가 아무것도 안 한 것 같이 느껴졌다. 억울했고 또 억울했다. 솔직히 업무분장을 내가 짠 게 아닌데 왜 다들 나한테 태클을 거는 건가 싶었다. 나는 스스로 내 업무에 불만 없이 열심히 하는데 업무분장에 불만 있는 사람이 건의하던가. 다들 나한테만 왜 그러는 거야? 속으로 화가 부글부글 끓기도 하면서 내 위치가 너무 바닥에 있는 것 같아서 슬퍼져 갔다. 부장님 제외한 다른 상사한테도 내가 인정받는 줄 알았는데 착각이었나 보다. 이것을 자각한 순간 씁쓸해졌다. 대화가 끝난 후 정택과장님은 내 뒷자리에 있는 자현사원에게 작은 소리로 얘기했다.

"다미랑 잘 얘기했어, 더 하면 싸워."

미세한 소리였지만 이 말을 똑똑히 들었다. 갑자기 배신감이 들었다. 자현사원은 내가 들을까 봐 조용히 해달라는 제스쳐를 취했고 과장님은 웃으면서 일찍 퇴근하라고 했다. 곱씹을수록 기분이 바닥을 쳤다. 안그래도 자현사원 때문에 우울하고 답답한데 그가 나를 불구덩이에 더 깊이 내몰아친 기분이었다.

*

어느 날, 회사에서 음료수를 사 먹으라며 법인카드를 건네주었다. 우리는 다 같이 카페에 들려 각자 음료수를 주문하고 잠시 자리에 앉아 음료수가 나오길 기다리고 있었다. 기다리는 동안 대화의 장이 시작되었다. 자현사원이 오전에 부장님한테 혼났다며 메시지 온 걸 보여주면서 자기 부모님도 이렇게 말 안 한다며 투덜거리기 시작했다. 욕은 아니었지만, 화가 잔뜩 난 메시지였다. 그는 또 내게 화살을 꽂기 시작했다.

"부장님이 다미사원님한테만 차별 대우 해주는 거 아니에요?"

사실 이러한 말이 여러 번 나를 울렸다. 나는 이곳이 첫 직장이기도 하고 그는 나보다 훨씬 나이도 많기 때문에 다른 사람보다 대하는 것이 더 어려웠다. 이러한 낙인 현상이 반복적으로 일어나니 나도 내 자신을 의심하기 시작했다. '내가 잘해서, 뛰어나서 이 우수 팀원으로 뽑힌 거 아닌가? 그래서 부서 내에서도 칭찬과 우대를 해주시는 거 아닌가?'하며 말이다. 결국 이 의심은 다른 사람이 나에게 꽂은 화살을 내가 더 깊이 꽂은 거나 마찬가지였다. 의욕이나 자존감이 조금씩 떨어지기 시작했다.

업무에 욕심도 많았고 열정적인 모습은 사라지고 주어진 일만 하게 되었다. 조금씩 자리를 비우는 시간 또한 많아졌다. 회사에서 약 9시간 동안 사무적인 말만 하고 그 이상은 얘기를 하지 않으니, 입이 굳는 것처럼 느껴졌다. 점심시간에도 외로워지기 시작했다. '내가 잘못한 걸까? 자현 사원은 그렇다 치고, 다른 동기랑은 그래도 잘 지냈어야 했나?' 갑자기 후회감이 든다. 점심시간은 생각보다 길었고, 이 시간에 자기 계발한다고 해도 마음속 한편이 휑해 집중할 수가 없었다. 근무하다가 나를 제외한 동기끼리 나가서 커피 사 오고 웃으면서 얘기하는 모습을 보니 즐거워 보였다. 하지만 나는 여전히 혼자 지내는 것이 더 마음이 편했다. 다시 같이 지냈다간 나에게 꽂는 화살들이 나를 더 망가뜨릴 것 같았다. 의욕과 야망이 많았던 내가 우울과 암흑이 뒤집어진 채 매일 터덜터덜 퇴근하며 퇴사할 날을 손꼽아 기다렸다. 몇 달을 우울함과 함께 생활하니 식욕조차 없어 살이 십 킬로씩이나 빠졌다. 퇴근하고 바로 집에 와서 자고, 출근하는 생활이 무한반복이었다. 무기력이 온몸을 덮어 툭하면 회사와 병행하는 학교는 물론 회사에도 결석이 잦아졌다.

이러다간 어두운 성격이 퇴사 후에도 후유증으로 남을까 봐 두려워 뭐라도 해야 했다. 안 다니던 학원을 등록해 다니기 시작했고, 친구들도 조금씩 만나면서 잡생각을 잊어보려고 바쁘게 지냈다.

"다미야, 너 요즘 무슨 일 있어? 얼굴이 너무 헬쓱해졌는데?"

"아, 그게 사실……."

내가 너무 잘 못 지낸다는 게 티라도 날까 봐 평소보다 해맑게 웃으려던 게 입가에 경련이라도 일어난 듯 친구는 그게 억지웃음인지 다 알아봤던 것이다. 공감보다는 퇴사하라는 둥의 현실적인 조언만 늘어놓을 것만 같아서 업무가 힘들다고 대강 둘러댔다.

"왠지 너 되게 우울하고 힘들어보이더라."

그 말에 울컥했다. 속에 있던 아픔이 기도를 타고 올라오는 기분이 들었다. 그 자리에서 눈물이 뚝뚝 떨어지고야 말았다. 서둘러 친구들은 휴지를 내 손에 쥐어주고 등을 다독여 줬다. 공공장소라 사람들이 다 나를 쳐다보는 듯 했지만 쉽게 진정할 수가 없었다. 내 속앓이를 얘기하는 동안 눈이 슬퍼보였는지 말하기 힘들면 굳이 안 해도 된다며 고생 많았다고 나를 꼭 안아주었다. 그렇게 내 속에 있는 힘듦을 누군가에게 꺼내놓는 것 자체로도 속이 약간은 개운해짐을 느꼈다. 하지만 그건 아주 잠깐이었다. 친구들과 있을 때 잡생각이 사라지는 것 또한 순간이었다. 회사 출근하기 몇 시간 전부터 우울함에 빠지기 시작했고 장시간 동안 회사에 있어야 하는 상황 때문에, 무기력에 빠져나오기

쉽지 않았다.

그렇게 평소와 다름없는 주말을 보내고 있는데 전화벨이 울린다. 캐나다에 유학 가 있는 친구였다. 반가운 마음에 전화를 덥석 받았다.

"야, 이제 전화하지 마. 나 이제 바빠질 거야."

"뭐래, 네가 전화했잖아, 근데 뭐 하느라 바빠지는데?"

"곧 방학이라 기업에서 인턴 할 기회를 준다는데 내가 어떻게 안 하냐, 너도 같이한다면 분명 좋아했을 텐데 아쉽다."

인턴? 나는 그 순간 슬리퍼와 잠옷 차림으로 바로 비행기 타고 캐나다로 떠나고 싶었다. 아니, 이미 마음은 캐나다로 떠났다. 어릴 때부터 꿈꿔왔던 해외 기업에서 일할 수 있는 기회라니! 상상만으로도 심장이 쿵쿵 뛰기 시작했다. 이미 회화 실력은 한국에서 잘 쌓아 왔기 때문에 따로 걱정은 할 필요 없었다. 회화를 자유롭게 하며 사람들과 어울리는 모습, 해외 기업에서 영어로 발표하는 모습, 여러 국적 사람과 파티하는 모습 등을 떠올리는데 설레기 시작했다. 나는 나의 꿈을 위해 캐나다 유학을 알아보기 시작했다. 정보를 얻기 위해 주말이나 휴일에 유학원 상담으로 시간을 보냈다. 회사에 다니며 모아둔 돈이 있어 캐나다로 유학하러 가기에는 충분했다. 하지만 고민이 있었다. 내가 단순히 이 회사 생활이 힘들고 무기력해진 것 때문에 유학을 결정하는 건 아닌지, 내가 옳은 결정을 내리는 걸까, 나중에 또 이러한 상황이 생겼을 때 이렇게 도망치게 되면 어떡하지였다.

하지만 옛날부터 나의 꿈은 해외기업에 입사해서 전 세계를 넘나들며 무역하는 것이기 때문에 내 진로에 도움이 분명 될 거라 믿고 캐나다 유학을 가기로 했다. 가장 가고 싶은 기업의 본사는 캐나다에 있었다. 퇴사하기 한 달을 남겨두고 학교는 자퇴하고, 유학 준비에 몰두했다. 지옥 같은 회사에서 벗어나 새 시작을 한다고 생각하니 상상만으로도 마음이 설렜다.

*

퇴사 날, 자현사원이 커피를 사준다며 카페에 갔다. 별로 탐탁지 않았지만, 마지막이니까 하고 따라갔다. 주문하고 기다리는 동안 어색한 침묵만 흘렀다. 그는 할 말이 있어 보이는 듯 내 눈치를 봤다.

"편하게 말씀하세요."

"음... 고생 많았어요, 지금까지."

"자현사원님도 고생 많으셨어요."

"오늘이 마지막이라고 하니까 마음이 싱숭싱숭하네요. 지금까지 고마웠던 것도 많고 미안한 것도 있고 하네요."

나는 그에 어떤 식으로 반응해야 할지 당황스럽기만 했다. 또 날카로운 말들을 입에서 뱉어버릴 줄 알았는데 미안하다는 말을 들으니, 마음이 복잡했다.

"그냥 사원님이 부러웠던 것 같아요. 나도 열심히 하는데 사원님처럼 안 되니까 나를 미워하기는 싫고, 사원님을 미워했던 것 같아요."

생각이 어린 사람이 그제야 라도 이런 생각을 하고 얘기를 해주어서 다행인 것 같다. 부러웠다는 건 나의 실력을 인정받은 셈이니까. 그렇지만 어떻게 생각하면 자기 마음 편해지자고 이런 얘기를 하는 것 같아서 밉다. 나는 마지막까지 얼굴을 붉히고 싶지 않아 별말 하지 않고 대화를 끝냈다. 또한, 부장님도 나에게 아쉬움을 표하셨다. 나는 한순간도 뒤돌아보지 않고 회사를 떠났다. 회사에서 완전히 나온 후, 평소보다 나에게 더욱 집중할 수 있었다. 바빠서 못 보던 책을 읽기 시작했고 지쳐있던 내 몸을 회복하기 위해서 운동을 하기 시작했다. 매일 회사 끝나고 집에 와서 바로 잠을 자기만 했던 일상은 사라지고, 나를 좀 더 챙길 수 있는 시간과 가족들과 함께하는 시간이 많아졌다. 나는 그렇게 활기를 조금씩 되찾아 가며 유학 준비를 했다.

설레는 마음으로 가족들과 함께 공항으로 향했다.

"다미야, 지금까지 잘 해냈으니까, 앞으로는 무엇이든 다 잘 해낼 거야, 우리 딸."

"맞아. 지금까지 있었던 게 너를 자꾸 바닥으로 끌어들이는 블랙홀이었다면 이제는 우리 딸 앞날에 은하수가 펼쳐질 거야."

가족의 응원 한 마디에 울컥해지는 동시에 마음이 따듯해졌다.

"보고 싶을 거야. 엄마, 아빠."

부모님과 포옹하고 얼굴을 어루만졌다. 아쉬운 마음으로 자주 연락하겠단 인사를 하고 캐나다로 가는 비행기에 올라탔다. 부모님 품을 떠나 완전한 독립은 처음이라 걱정이 되기도 하고 기대가 되기도 했다. 비행기에서부터 귓가에 영어가 맴돌았는데, 벌써 캐나다에 온 것 같은 기분이 들었다.

'안녕, 나 꼭 더 성장해서 올게.'

블랙홀, 그리고 은하수

발행 2024년 1월 10일
지은이 재영, 하정민, 박유정, 추슬기
라이팅리더 현해원
디자인 윤소정
펴낸이 정원우
펴낸곳 글ego
출판등록 2019.06.21 (제2019-000227호)
주소 서울시 강남구 강남대로 118길 24 3층
이메일 writing4ego@gmail.com
홈페이지 http://egowriting.com
인스타그램 @egowriting

ISBN 979-11-6666-433-5